Abhandlungen zur Kunst-, Musik- und
Literaturwissenschaft, Band 291

Die Verwandlung des Ekels

Zur Funktion der Kunst
in Rilkes «Malte Laurids Brigge» und Sartres «La Nausée»

von Inca Rumold

1979

Bouvier Verlag Herbert Grundmann · Bonn

CIP-Kurztitelaufnahme der Deutschen Bibliothek
RUMOLD, INCA:
Die Verwandlung des Ekels: zur Funktion d. Kunst in Rilkes „Malte Laurids Brigge" u. Sartres „La Nausée"/
von Inca Rumold. - Bonn: Bouvier, 1979.
(Abhandlungen zur Kunst-, Musik- und Literaturwissenschaft; Bd. 291)

ISBN 3-416-01498-7

ISSN 0567-4999

Inhaltsangabe

Einleitung

Heidegger, dessen <u>Sein und Zeit</u> (1927) allgemein als das magnum opus
der Existenzphilosophie* gilt,[1] hat einmal gesagt, "dass seine Philosophie
nichts anderes sei, als die denkerische Entfaltung dessen, was in Rilke
dichterisch ausgesprochen sei."[2] Fügt man die Tatsache hinzu, dass Rilkes
<u>Malte Laurids Brigge</u> (1910) einen entscheidenden Einfluss auf Sartres <u>La Nausée</u>
(1938) ausgeübt hat,[3] so scheint es kaum befremdend, den "dionysischen
Dichter Rilke"[4] und den Philosophen Sartre aus derselben geistigen Bewegung,
dem Existenzialismus, zu beleuchten.[5]

In dem Vergleich zwischen <u>Malte Laurids Brigge</u> und <u>La Nausée</u> steckt
sich diese Arbeit folgende Ziele:

---

* Heideggers eigene Version lautet 'Existentialphilosophie': siehe <u>Sein und
Zeit,</u> (1927), 8. unv. Auflage, Max Niemeyer Verlag, Tübingen 1957.

1) Vgl. Walter Kaufmann, <u>Existentialism from Dostoevsky to Sartre</u>, Meridian
Books, New York 1956, S. 21.

2) Vgl. Otto Bollnow, <u>Rilke</u>, Kohlhammer Verlag, Stuttgart 1951, S. 18.

3) Vgl. Kaufmann, a.a.O., S. 49.

4) Ebenda, S. 21.

5) Zu Rilke und der Existenzialismus siehe besonders: Otto Bollnow, <u>Rilke,</u>
a.a.O., und <u>Existenzphilosophie</u> vom selben Autor, Stuttgart 1949; W. Kohl-
schmidt, <u>Rilke-Interpretationen</u>, Lahr 1948; Angelloz, <u>Rilke</u>, Nymphenburger
Verlagshandlung, München 1955 (franz. Original Paris 1936); E. Buddeberg,
<u>Kunst und Existenz im Spätwerk Rilkes</u>, Stahlberg Vlg, Karlsruhe 1948.

Ein Vergleich der beiden Werke - von manchen Kritikern erwähnt[6], aber über eine flüchtige Bermerkung der motivischen und thematischen Ähnlichkeit hinaus nicht entwickelt - soll hier zum Gegenstand der Untersuchung werden. In dieser verlgeichenden-kontrastierenden Arbeit werden sich die Vergleiche als thematisch, die Kontraste als strukturell ergeben.

Mit Ausnahme einiger Arbeiten der 60ger Jahre (siehe S.10 dieser Arbeit) sind diese beiden Romane meistens als existenzialistische Werke interpretiert worden. Diesen Auslegungen gegenüber sehe ich beide als Künstlerromane an, in denen die Entwicklung der Helden aus einer existenzialistischen Weltauffassung erfolgt.

Diese Arbeit konzentriert sich darauf, die Entwicklung vom Existenziellen zum Künstlerischen herauszuarbeiten. Beide Helden beginnen ihre Tagebücher in einer Krise der Angst. Die existenzielle Angst ruft im Bewusstsein beider Helden - Malte und Roquentin - eine neue, veränderte Weltanschauung hervor. Bei Malte führt sie zur Schaffung einer eigenen ästhetischen Richtung, bei Roquentin zu einem Umschwung von historischer zu kreativer schriftstellerischer Arbeit.

Die Erkenntnisse und Einsichten, welche beide Helden in ihren Aufzeichnungen erreichen, zeigen, dass Kunst für beide keine Flucht, sondern existenzielle

---

6) Bernhard Blume, "The Metamorphosis of Captivity" in: The German Quarterly, Vol. XLIII, May 1970, Nr. 3, S. 357-375, S. 357.
   Margot Kruse (siehe S.21 dieser Arbeit).
   Walter Sokel, "Zwischen Existenz und Weltinnenraum: Zum Prozess der Ent-Ichung im Malte Laurids Brigge", in: Probleme des Erzählens in der Weltliteratur, hrsg. Fritz Martini, Ernst Klett Verlag, Stuttgart 1971, S. 212-233, S. 222.
   Theodore Ziolkowski, Dimensions of the Modern Novel, Princeton University Press 1969, S. 10.
   Peter Rupperts Artikel "The Aesthetic Solution in Sartre's Nausea and Rilke's Malte" (welcher bald erscheinen soll) bekam ich leider erst nach Beendigung meiner vorliegenden Arbeit zur Einsicht und Kenntnisnahme.

otwendigkeit ist. In einer zusammenhanglosen Welt ist die vom Künstler ge-
chaffene Totalität ein Absolutes, in welchem Ordnung und Sinn zu finden ist.

Es wird sich zeigen, dass der Unterschied zwischen beiden Romanen[7] in

hrem Aufbau und ihrer Struktur hervortritt. Während La Nausée der traditio-

ellen Form des Tagebuches folgt und die täglichen Aufzeichnungen in chrono-

ogischer Ordnung den zeitlichen Ablauf als Hauptstruktur aufweisen, wird

ie Zeit im Malte relativiert und aufgehoben, und der Raum an die Stelle der

eit zum entscheidenden Strukturelement erhoben.

) Alle Zitate aus diesen Romanen stammen von den folgenden Ausgaben:
Rainer Maria Rilke, Sämtliche Werke, 6. Band, Insel-Verlag Frankfurt 1966
und
Jean-Paul Sartre, La Nausée, Gallimard Paris 1938.

K A P I T E L   I

FORSCHUNGSSTAND

a) Rilkes Malte Laurids Brigge

In einem 1963 geschriebenen Aufsatz, "Critique comme langage", sagt der zeitgenössische französische Kritiker Roland Barthes über die Natur des literarischen Kunstwerks, es habe "signification suspendue", d.h. es sei niemals vollkommen bedeutungs- oder sinnlos, noch vollkommen durchsichtig und klar. Das literarische Kunstwerk biete sich dem Leser an als ein ausdrückliches Bedeutungs - system, es entziehe sich ihm aber als ein gedeutetes Objekt. Es sei diese Art von Ent-täuschung - in der Natur jeder Bedeutung - welche erkläre, warum ein literarisches Kunstwerk solch eine Macht besitze, Fragen über die Welt und das Leben zu stellen und dadurch erstarrte Bedeutungen von Glauben und Ideologien zu unterminieren, ohne jedoch absolute Antworten zu geben, da kein grosses Werk 'dogmatisch' sei. Es erkläre auch warum ein grosses Werk unendliche Interpretationsweisen zulasse.[1]

'Unendliche Interpretationsweisen' hat die Kritik gerade am <u>Malte Laurids Brigge</u> entwickelt. In der nun 65jährigen Kritikgeschichte haben sich die ver-

---

1) Roland Barthes, "Critique comme langage", <u>Essais Critiques</u>, Paris, Editions du Seuil 1964.

schiedensten Methoden an diesem Werk geprobt: metaphysische, hagiographische,
existenzialistische, Freudsche. Die Aufzeichnungen werden einmal als "infantile
Regression"[2], als "Evangelium Brigge"[3], als "Werk einer gefährlichen Lücke...
eins der negativsten Bücher der Weltliteratur"[4] verurteilt, andererseits aber
als "der erste moderne Roman des 20. Jahrhunderts, in dem eine neue Totalität
erreicht wird"[5] gesehen.

Als ein "Buch der Angst"[6] charakterisiert es Angelloz. Nachdem er Rilkes
Ausdruck über den Malte "mosaikhaft", mit "widersprüchlich" gleichsetzt, da
es "nicht um eine Mitte angelegt" sei und an "künstlerischer Einheit" mangele,
folgert er, noch vor Fülleborn: "Andererseits erscheint uns das Ganze einem
musikalischen Werke vergleichbar, das um einige grosse grundlegende Themen
orchestriert ist, nämlich die Stadt, den Tod, die Kindheit, die Liebe..."
Wenngleich Angelloz das Buch nicht mit "blossem artistischen Spiel" gleich -
setzen will, da eine "innere Notwendigkeit" spürbar sei, so unterlässt er es
jedoch dieser nachzugehen und aufzuzeigen. Er urteilt: "So erklärt sich der
Unterschied im Ton, der im Verlauf der Aufzeichnungen so unangenehm auffällt."
Letzten Endes scheint ihm, wie auch Armand Nivelle,[7] der tiefere Sinn der Auf-

---

2) Erich Simenauer, RM Rilke, Legende und Mythos, P. Haupt, Bern 1953, S. 586.

3) Julius Bab, "Das Evangelium Brigge", Die Schaubühne, Berlin 1910, H.22/23, S.58.

4) J. Klein, "Die Struktur an Rilkes Malte", Wirkendes Wort 2, 1952, S. 93.

5) W. Emrich, Protest und Verheissung, Athenäum Vlg, Frankfurt 1968, S. 182.

6) J.F. Angelloz, R M Rilke, Leben und Werk, Im Verlag der Arche, Zürich 1955
   (franz. Version 1936) S. 233.

7) Armand Nivelle, "Sens et structure du Malte Laurids Brigge", Revue d'Esthétique
   12, 1959, S. 5-32.

zeichnungen in der Erarbeitung der Liebe zu Gott zu liegen.[8]

Eudo Mason stellt in _Rainer Maria Rilke. Sein Leben und sein Werk_ die Rezeption des _Malte_ neben die der _Neuen Gedichte_: es sei "stets mit fast der gleichen Missbilligung betrachtet worden wie die _Neuen Gedichte_ und auch aus wesentlich dem gleichen Grund - weil es keine erhebende Botschaft enthält." Er weist darauf hin, dass anstatt der 'mystischen' und religiösen Botschaft, als welche das _Stundenbuch_ verstanden worden war, der _Malte_ geradezu als "zersetzend" charakterisiert wurde. Er lässt das Tagebuch wohl als "kühnes Experiment mit der Form des Romans" gelten, urteilt dann aber aus einer traditionellen Betrachtungsweise, dass die _Aufzeichnungen_ "kunterbunt aufeinander" folgen, aus denen es dem Leser überlassen bliebe aus diesem "chaotischen Material" Maltes äusseren Lebenslauf zu rekonstruieren."[9] Er verneint implizite jegliche Entwicklung der Aufzeichnungen und des Helden -- Rilkes "Gegen-Ich", ein Angstbild, zugleich aber auch sein "Wunschbild"[10] -- wenn er Malte als "den Verkünder einer düsteren, durch nichts gemilderten Verzweiflung" bezeichnet.

Else Buddeberg charakterisiert Malte als einen "abgründig Einsamen. Der Malte ist diesem Einsamkeitsverlangen mit der Süchtigkeit nach seinem eigenen Untergang hingegeben."[11] Zwar behandelt die Kritikerin den Malte nicht als Rilkes autobiographischen Roman, doch "wäre (er) am treffendsten zu kennzeichnen als die

---

8) Angelloz, a.a.O., S. 246.

9) Eudo C Mason, _Rainer Maria Rilke. Sein Leben und sein Werk_, Vandenhoeck & Ruprecht in Goettingen 1964, S. 70.

10) Ebenda, S. 72.

11) Else Buddeberg, _Kunst und Existenz im Spätwerk Rilkes_, a.a.O., S. 54.

eschichte von Rilkes eigenen Überwindungen." Ferner weist sie darauf hin, dass

ie "Durchdringung der Problematik in der Person des Malte Laurids Brigge mit den

igensten Lebens- und Schaffensproblemen Rilkes... deutlich wird."[12] Trotz der

insicht in die Entwicklung, welche Rilkes Kunstschaffen in dieser Periode durch

ein Aufnehmen von Cezannes und Baudelaires Kunstauffassung mache, werde diese

ntwicklung nicht am Malte gezeigt.

Wie Buddeberg vertritt auch Bollnow eine rein existenzialistische Deutung.

bgleich er sich in seinem Rilke-Buch spezifisch der Lyrik zuwendet, scheint

ir besonders folgendes aufschlussreich: "Auf der letzten Stufe seines Schaffens,

ie tiefste und für uns einzig entscheidende... bewegt er sich in einer Tiefe, wo

enken und Dichten noch nicht als getrennte Möglichkeiten auseinandergefallen

ind, sondern wo das Dichten als solches noch Denken ist."[13] Was Bollnow hier

ür die Lyrik aussagt, und zwar spezifisch nur für die späte Lyrik, muss sich

ewissermassen schon im Malte anbahnen: Gewisse Tendenzen, welche nicht unbedingt

eichen einer 'pathologischen Übersensitivität des Helden' (Bollnow), sondern

eichen einer sich neu gestaltenden Bewusstseinshaltung sind, eines reflektiven,

ifferenzierenden Bewusstseins, wie es auch Käte Hamburger begreift.[14] Ein re-

lektives Bewusstsein ist eine auf Erkenntnis gerichtete Haltung des Bewusstseins.

enn wenn, wie Bollnow aufzeigt, sich die späte Lyrik als rein gedanklich

arbietet -- Käte Hamburger charakterisiert dies Phänomen als "Lyrik satt

---

2) Ebd., S. 53.

3) Otto Bollnow, Rilke, a.a.O., S. 11.

4) Käte Hamburger, "Die phänomenologische Struktur der Dichtung Rilkes" in: Rilke in neuer Sicht, hrsg. Käte Hamburger, Verlag W. Kohlhammer, Stuttgart 1971, S. 83-158.

einer Philosophie"[15] -- müssen sich ja gewisse Grundzüge in früheren Stadien
dahin entwickeln und auch schon daher im Malte enthalten sein. Demnach wäre
Malte nicht "Existenzialist des Leids", sondern "Phänomenologe des Leids"
(Hamburger).

Im Wagnis der Sprache illustriert Fritz Martini in minutiöser Teilanalyse,[16]
inwiefern die einzelnen Episoden die Struktur der Aufzeichnungen als Ganzes
parallelisieren. In der Darstellung des "Einsamen" vs. "die Leute" erkennt
Martini Rilkes Bestreben, die Welt der "geistigen Wirklichkeit" (Schein) mit
der "greifbaren Wirklichkeit" (Da-Sein) zu konfrontieren. Die andere Geschichte,
das Sterben des falschen Zaren Grischa Otrepjow, sei eine Variation desselben
Themas. Was die "Zerstreuung des Ruhms" für den Einsamen, sei die Liebe der
Andern, in diesem Fall der Zarin-Mutter, für Grischa. In beiden Fällen reissen
die "Leute" den Einzelnen, der sich hinter seiner "Maske" zu seinem echten,
authentischen Sein konzetriere, heraus, um ihn durch die "Wirklichkeit der
Leute" zu vernichten. Zwischen beiden Geschichten ist eine Erzählerpassage
eingefügt, die anscheinend den Ton zerstört, indem das Erzähler-Ich von seinem
Auffinden des grünen Büchleins spricht, in welchem er diese Geschichten gelesen
hat. Gerade diese anscheinende Zusammenhanglosigkeit jedoch garantiere den
Zusammenhang des Ganzen. Indem durch die Technik der Aussparung der Sprache
das äusserlich Dingliche und Vorganghafte als unwesentlich gezeigt werde und
der Akzent sich auf das innere Geschehen konzentriere, werde die Funktionalität

---

15) Ebd., S. 83. Die Kritikerin macht spezifisch auf den Unterschied zur
klassischen Gedankenlyrik aufmerksam.

16) Fritz Martini, Das Wagnis der Sprache, Ernst Klett Verlag, Stuttgart 1964,
5. Auflage (1954) S. 133-175: Martini bespricht den 53. und 54. Abschnitt
(S. 879-884 im Malte) der Aufzeichnungen.

les Dinglichen entlarvt. Daher charakterisiere sich diese Prosa als ein
beständiger "Prozess reflektierender, zur Erkenntnis drängender Selbstbegegnung.
Denn es ist unverkennbar: dieses Erzählen versteht sich als ein fortschreitender
Akt der Erkenntnis."[17] Damit verkoppelt sei die "Zertrümmerung des traditionellen
Romans." Gegenüber der zielbestimmten geschlossenen Einheit der Komposition
im 19. Jahrhundert gestalte sich die Prosa des Malte als "Haltung der aus-
dauernden Frage, die in das Grenzenlose hineinschwingt."[18] Weder bekenntnis-
haftes Tagebuch noch traditioneller Roman sei der Malte vielmehr eine "Misch-
form", welche die psychologisch-existenzielle Lage des Helden reflektiere, die
keine "Rückbindung des Geschehen an genau bestimmte Ordnungen von Raum und
Zeit" kenne.[19]

Wilhelm Emrich bezeichnet den Malte als den "ersten deutschen Roman des
20. Jahrhunderts, der die Zertrümmerung der epischen Fiktion als einer zweiten
geschlossenen Wirklichkeit radikal durchführt."[20] Es habe sich erwiesen, dass
die traditionellen erkenntnistheoretischen Bewusstseinskategorien von Raum,
Zeit und Kausalzusammenhang unser Dasein nicht mehr sinnvoll zu ordnen vermögen.
Aus dieser Zertrümmerung erstehe ein neues Momentum der Gestaltung: "Bewusstsein".
Jedoch nicht das Bewusstsein, welches in der endlichen und empirischen Welt

---

17) Ebd., S. 140.

18) Ebd., S. 140.

19) Ebd., S. 139.

20) Wilhelm Emrich, a.a.O., S. 182.

verfangen sei, sondern das diese durchbreche.[21] Dieses neue Momentum der Gestaltung erfülle die Funktion "Erkenntnis zu leisten und zwar totale Erkenntnis, Erkenntnis auch der unterbewussten, vergessenen oder verdeckten Schichten
des Menschen und seiner Lebenswirklichkeit."[22]

Seit den sechziger Jahren ist ein Umschwung in der Kritik des Malte
zu beobachten. Von den existenziell-biographischen Problemen des Helden Malte
wendet man sich jetzt vornehmlich dem Prosawerk zu, um dessen Struktur auf-
zudecken. Durch Martinis und Emrichs wegweisende Einsichten wurde dieses Werk
in der neueren Forschung mit der 'Krise des Erzählens' in Verbindung gebracht.
Die Kriteria schwingen hier von einer lyrischen Ausrichtung, welche den Malte
strukturell zur "Gattung des Prosagedichts" (Fülleborn) zählen, zum epischen
Pol (Hoffmann, Ziolkowski).

Der 1961 erschienene Aufsatz "Form und Sinn der 'Aufzeichnungen des
Malte Laurids Brigge'" von Ulrich Fülleborn[23] ist für die Malte-Kritik besonders wegweisend. Anstatt dieses Werk als "formlos" oder von "schwacher Form"[24]
abzutun, erarbeitet Fülleborn innere Formprinzipien, welche er in dem Gesetz
der Komplementarität und dem musikalischen Kompositionsprinzip der Kontrapunktik

---

21) Dieses entspricht der Husserlschen "epoché" oder 'Aufhebung des natürlichen
    Standpunkts'. Käte Hamburger stellt eine Beziehung her zwischen diesem und
    Rilkes 'Schauen'. Siehe K. Hamburger, a.a.O., S. 85f.

22) Emrich, a.a.O., S. 168.

23) Ulrich Fülleborn, "Form und Sinn der Aufzeichnungen des MLB" in:
    Unterscheidung und Bewahrung, Festschrift Hermann Kunisch, de Gruyter,
    Berlin 1961, S. 147-169.

24) J. Klein, a.a.O., S. 93.

ieht. Demnach sei der Malte keine willkürliche assoziative Reihung von Bildern und Reflexionen, sondern diese gestalten sich "als notwendig gegenseitige Ergänzungen." Es sei dabei jedoch nicht an "Antithesen, die zur Synthese drängen" zu denken, sondern es handele sich vielmehr um "ein bebendes Gleichgewichtspiel, ein dauerndes Umschlagen des einen ins andre." Wie andre gültige Romane der Moderne sei im Malte mit der "Destruktion der alten Formgesetze" eine Rekomposition zu beobachten, die sich aus "einer assoziativen Sprache der Motive und einer kunstvollen Verschlingung der Themen... nach musikalischen Komposi - tionsprinzipien aufbaut."[25] Die Sinngestaltung sei, analog der modernen Dichtung, schon in der Form enthalten.

Walter Seifert knüpft in seinem Buch Das Epische Werk Rainer Maria Rilkes an die von Ulrich Fülleborn herausgearbeiteten Strukturprinzipien der Komplementarität und Kontrapunktik an. Im Gegensatz zu Fülleborn jedoch will Seifert beweisen, dass statt eines "bebenden Gleichgewichtsspiel" der komplementären Bilder "Polarität und Überwindung der Antithesen durch eine Synthese zu den strukturbestimmenden Elementen (des Malte-Romans) gehören."[26] Im folgenden erarbeitet Seifert ein Aufbauschema, in welchem der 1. Teil als "Konfrontation der Gegenwart mit der Vergangenheit" strukturiert sei. Dieses "Spannungsverhältnis von Gegenbildern"[27] entwickele eine gewisse Dynamik, in welcher die Extreme der Gegenwart und Vergangenheit (Kindheitserinnerungen) durch "Idealgestalten" überwunden werden, welche eine gewisse Totalität darstellen (Beethoven, Ibsen, Abelone, Dame à la Licorne). Die Konzeption der "Ideal -

25) Fülleborn, a.a.O., S. 161.

26) Walter Seifert, Das Epische Werk Rainer Maria Rilkes, Bouvier Verlag, Bonn 1969, S. 204.

27) Ebd., S. 205.

gestalten" erklärt Seifert mit Freuds Thesen über den Narzissmus. Die Idealgestalten seien für Malte "der Ersatz für den verlorenen Narzissmus seiner
Kindheit, in der er sein eigenes Ideal war."[28] Den 2. Teil begreift Seifert
als eine "Steigerung der Probleme ins Kosmische." Diese Steigerung zeige eine
"universale ontologische Heimatlosigkeit", die jedoch durch "universale
Grössenordnungen" (Theater zu Orange, Karl des VI Welttheater) eine "universale Integration" erreiche. Nicht klar ist, inwiefern die 'Extreme' des 1.
Teils im 2. Teil zu 'Polaritäten' werden. Auch der Begriff 'Bewusstsein' wird
nicht klar. Einerseits entwerfen die einzelnen Aufzeichnungen "eine objektive
Ordnung... als objektivierte Struktur des Bewusstseins,"[29] andererseits sei
Malte bestrebt, durch sein "intensives Anschaun das Bewusstsein aus(zu)schalten,
(um) jenseits der Bedingungen des Bewusstseins"[30] die Wirklichkeit zu finden.

In seiner Studie "Zwischen Existenz und Weltinnenraum: Zum Prozess der
Ent-Ichung im Malte Laurids Brigge" deckt Walter H Sokel einen "scheinbaren
Widerspruch" im Malte auf, der sehr zur Erhellung und Verständnis dieses
Romans beiträgt, besonders in Hinsicht auf die künstlerische Problematik. An
das Füllebornsche Strukturprinzip der Komplementarität anknüpfend, sieht er
dieses getragen von zwei widersprüchlichen Elementen, die, vom Existenziellen
hergeleitet, Maltes künstlerische Entwicklung bedingen: "das Briggesche Prinzip"
und das "Brahesche Prinzip".[31] Ersteres bedinge Individualität und "Vereinzelung",

---

28) Ebd., S. 265.

29) Ebd., S. 270.

30) Ebd., S. 160.

31) Walter H Sokel, a.a.O., S. 214.

as zweite kennzeichne sich durch den "Allbezug". Sokel sieht diese Prinzipien
n den Grossvätern beider Geschlechter und deren Einstellung zum Tod verkörpert.
Während das "authentische Sterben des Kammerherrn Brigge Krönung und Voll -
endung"[32] seines Lebens darstelle, werde der Tod vom alten Brahe gar nicht
nerkannt. Einzelanalysen belegen die Bedeutung der Gleichzeitigkeit oder des
Allbezugs, welche eine Auflösung oder "Ent-Ichung" voraussetze und in diesem
Sinne dem Nietzscheschen Begriff des 'Dionysischen' verwandt sei. So wird
der 'Sterbende in der Cremerie' als Übergang zur erstrebten Ent-Ichung begriffen, indem das Schwergewicht des Sterbens nicht, wie beim Kammerherrn
Brigge, auf dem "Organischen und Historischen" der Person liege, "sondern nur
auf dem Vorgang und dessen Folgen",[33] nämlich der Bedeutung, die Malte darin
erkennt: Veränderung, d.h. "Ent-Ichung". Im 'Veitstänzer' hingegen sei der
Übergang zur Ent-Ichung schon vollzogen. Wenn, wie Sokel andeutet, die
Passage gegen den Strich gelesen werde, wie Rilke es selbst vorgeschlagen hatte,[34]
(indem nicht dem Inhalt, sondern der Sprachfügung gefolgt wird), entpuppe
sich die aus dem Veitstänzer hervorbrechende Kraft nicht als etwas Furcht-
erregendes und Negatives, sondern als Positives, als "freudige Kraft des
Tanzes, die er unter die Menge schleudert", was eine Befreiung des Subjekts
vom individuellen Willen symbolisiere.

---

32) Ebd., S. 212.

33) Ebd., S. 222.

34) Briefe aus den Jahren 1914 bis 1921 (1937). Rainer Maria Rilke et Merline,
Correspondance (1954), 25.

Ernst Fedor Hoffmanns Analyse "Zum dichterischen Verfahren in Rilkes
'Aufzeichnungen des Malte Laurids Brigge'" ist ein weiterer wertvoller Beitrag
zum Strukturproblem des Malte, indem er zu den von Fülleborn entdeckten Formprinzipien der Komplementarität und Kontrapunktik diejenigen der Reihung und
zyklischen Symmetrie aufzeigt. Hoffmann betrachtet den Malte als "Spiegelung
einer zusammengehörigen und fortschreitenden schriftstellerischen Arbeit"[35],
deren Entwicklung von subjektiven Eindrücken zum objektiven Darstellen
künstlerisch und formal sei. Maltes Bemühen um das 'verlorene epische Erzählen'
werde gegen Ende in der chronologisch erzählten Legende wiedererrungen. Die
Legende spiegele das Ganze nochmals auf einer anderen Ebene, nur dass hier
"Bewusstsein und bewusstes Streben im Vordergrund"[36] stehen. Dagegen beruhe
die Struktur des Hauptteils "nicht auf bewusster, intellektuell bestimmter
Konstruktion... sondern auf intuitiv-kritischem Formempfinden."[37]

Auch Theodore Ziolkowski greift in seinem Buch Dimensions of the Modern
Novel die Vorstellung einer Entwicklung vom Subjektiven zum Objektiven auf.
Der junge Malte lerne im Verlauf des Tagebuches seine anfänglich subjektiven
Eindrücke objektiv wiederzugeben.[38] Ziolkowski sieht diese Entwicklung in
engstem Zusammenhang mit dem Thema Zeit, welches ihm als eines der Hauptthemen
des Buches erscheint, und in der Spannung zwischen "temporality of existence

35) Ernst Fedor Hoffmann, "Zum dichterischen Verfahren in Rilkes 'Aufzeichnungen des Malte Laurids Brigge'", Deutsche Vierteljahrsschrift 42, 1968, S. 202-230, S. 226.

36) Ebd., S. 230.

37) Ebd., S. 223.

38) Theodore Ziolkowski, a.a.O., S. 3.

nd the timelessness of art"[39] zum Tragen komme. Es gelinge Malte, als echter
.rbe seines Grossvaters Brahe, durch Auflösung der chronologischen Zeit die
ngst der Temporalität zu überwinden. Er könne dadurch sein Leben auf diese
zeitlose' Weise gestalten: "Malte is viewing reality as a whole, like the
ngels (der Elegien) and like his grandfather."[40] Nachdem Malte im Laufe
der Aufzeichnungen darum ringt, eine zeitlose Ebene in der Kunst zu erreichen,
und erreicht, scheint es widersprüchlich, wenn er am Schluss zu dem überwundenen
chronologischen Erzählen zurückkehren sollte, wie Hoffmann und Ziolkowski es
in der Parabel des Verlorenen Sohnes sehen.[41]

Judith Ryan stellt sich mit ihrem Artikel "Hypothetisches Erzählen:
Funktion von Phantasie und Einbildung im Malte Laurids Brigge" scheinbar in
die Reihe derjenigen Arbeiten, die einen Prozess der Entwicklung im Malte
erkennen wollen. Auch sie geht von der 'Krise des Erzählens' aus. Doch im
Gegensatz zu Hoffmann und Ziolkowski, die eine Entwicklung vom Subjektiven zum
Objektiven herstellen, betont sie, dass die "verschiedenen Aspekte seiner (Maltes)
Entwicklung: Sehenlernen, Erinnern und Erzählen seinen subjektiven Vorstellungen
verhaftet bleiben."[42] Den Schlüssel der "Nicht-Verwandlung"[43] sieht sie "in
dem hypothetischen Charakter dieser Aufzeichnungen," als einen Mangel an

---

39) Ebd., S. 7.

40) Ebd., S. 24.

41) Ebd., S. 33. ---- Hoffmann, a.a.O., S. 230.

42) Judith Ryan, "Hypothetisches Erzählen: Zur Funktion von Phantasie und Einbildungskraft in Rilkes Malte Laurids Brigge", Schillerjahrbuch 15, 1971,
S. 341-374, S. 374.

43) Vgl. Margaret Eifler, "Existentielle Verwandlung in Rilkes MLB", The German
Quarterly XLV, 1972: "es gelingt ihm nie ganz sich die nötige Verwandlungs-
fähigkeit anzueignen..."

Spannungsverhältnis zwischen Wirklichkeit und Vorstellungskraft. So stellt sich ihre Arbeit als wertvoller Beitrag der _Malte_-Literatur dar in der Herausstellung der Phantasie und Einbildungskraft. Indem sie das allerdings so ausschliesslich unter Auslassung jeglicher anderer Fähigkeit (z.B. Erkenntnis) betont, lässt sie eine Untersuchung in dieser Richtung offen.

Im IV und V Kapitel werde ich spezifisch an die bisher gewonnenen strukturellen Einsichten der Kritik anknüpfen und auf das Bewusstsein als 'neues Gestaltungsmoment' eingehen, indem ich zeige, wie dieses ein künstlerisches ist, welches durch eine existenzialistische Ausrichtung zu einer neuen Kunsttheorie gelangt.

b) Sartres La Nausée

In "La Duplicité de l'Etre" behandelt Claude-Edmonde Magny die Freiheit,
welche Sartre seinen Charakteren zuspricht, als zentrales Motiv in Sartres
Erstlingsroman. Sie nennt dieseFreiheit 'Betrügen' ("tricherie"). Dieses sei
weniger ein Akt, als eine gewisse 'metaphysische Entscheidung', ein Lebensstil,
der darin bestehe, seine Persönlichkeit, Willen und vor allem Bewusstsein auf-
zugeben, um im Versinken in neue Eindrücke bis zur Tiefe des Ekels eine neue
Wahrheit zu erreichen.[1] Nachdem die gesellschaftliche Schale gefallen sei,
bestünde der eigentliche Wert dieser Haltung der "tricherie" in der 'Ent -
schleierung der objektiven Wirklichkeit ausserhalb von uns', die nur durch
dieses 'Betrügen' erreicht werden könne. Hierin bestehe der eigentliche Sinn
des Buches. Einerseits sei Ekel als 'Entschleierung' zu sehen, d.h., dass die
Dinge sich plötzlich verändern können und durchaus nicht so 'festgelegt' seien,
wie wir denken. Andererseits entstehe der Ekel in unserer Erkenntnis des Mangels
an Notwendigkeit von Existenz. Aus dieser Situation des Ekels bleiben, so Magny,
nur zwei Wege offen: Philosophie, d.h. klare Erkenntnis der absurden Existenz,
oder "mythomanie", der Versuch zur archaischen Welt der Magie zurückzukehren
wie Anny: "son univers bien clos, amorti de tentures et de mythes, cet univers
magique où toute chose a un sens bien determiné."[2]

---

1) Claude-Edmonde Magny, "La Duplicité de l'Etre" in: Les Sandales d'Empédocle,
    Neuchâtel: La Baconnière 1945, S. 107.

2) Ebd., S. 119.

In Der Französische Roman im 20. Jahrhundert zerlegt Leo Pollmann La Nausée
in vier Kreise, die gewisse Initiationsbewegungen und mythische Kreise dar -
stellen. In seinem "Entwurf einer Geschichte des mythischen Selbstverständnisses
unserer Zeit" (Untertitel) sollen diese mythischen Kreise 'Versuchungen' darstellen zwischen der "attitude imageante" und der "attitude réalisante". Wenngleich am Ende die Imagination siege, liege das eigentliche, "im wahrsten
Sinne des Wortes epochemachende Ereignis von La Nausée ... woanders: Es liegt
in der Begegnung mit der aus dem Bewusstsein losgeketteten, über das Ich hinausliegenden Welt, wie sie nun erstmals im 20. Jahrhundert möglich wird, in
einer Begegnung, die eine Art Schockwirkung auf das nur noch an seine Be-
wusstseinsinhalte gewöhnte Ich ausübte, die es mit einem Gefühl des Ekels
anfüllte und dem Bewusstsein 'nichts mehr zu bestellen zu haben', 'de trop'
zu sein."[3]

In ihrer Einführung zu Sartre: A Collection of Critical Essays[4] bemerkt
Edith Kern, dass im Zentrum von Sartres Werk die Perzeption des menschlichen
Bewusstseins stehe und zwar das von Husserl postulierte 'Bewusstsein von Etwas'.
Dieses 'Etwas' sei die Welt, nicht als solche, sondern als 'Erscheinung im
Bewusstsein', d.h., wie dieses sie perzipiere. In den Phänomenen der Welt
perzipiere unser Bewusstsein das 'Sein'. Zwischen dem 'Sein' und dem 'Nicht-
Sein' zu unterscheiden, gebe dem Bewusstsein seine differenzierende-negierende
Haltung und mache es zu einem 'Nichts' (vgl. Maltes Aussage: "Ich bin ein Nichts,

---

3) Leo Pollmann, Der Französische Roman im 20. Jahrhundert, Verlag W. Kohlhammer, Stuttgart Berlin Köln Mainz 1970, S. 111.

4) Sartre: A Collection of Critical Essays, hrsg. Edith Kern, Prentice-Hall,
   Inc., Englewood Cliffs, N.J. 1962, S. 1-14.

as anfängt zu schreiben...", 14. Aufz., S. 726). Die Aufgabe des 'authen -

ischen'[5] Menschen sei es, das 'Sein' aufzuzeigen. 'Sein' aber könne nur durch

prache entschleiert werden. Entschleiern sei nennen, benennen, d.h., die

unktion von Sprache sei zwischen-menschliche Verständigung. Daher komme für

artre auch primär der Schriftsteller -- und nicht der Dichter, wie für Hei-

legger -- in Frage, der die Aufgabe des Menschen, das 'Sein' aufzuzeigen,

rfülle. In Qu'est-ce que la littérature? bezeichne Sartre Sprache als

durchsichtiges Bewusstsein, welches das durchsichtige Bewusstsein des Andern

des Lesers - aufruft.'[6] Es sei Sprache, durch Bewusstsein, welche der sonst

bsurden Welt einen Sinn verleihe. Durch das Medium der Sprache sei es dem

ewusstsein ermöglicht Gedanken und Ideen jene 'Härte' (im Kontrast zum

weichen' Sein der Existenz) zu geben, welche Roquentin an Kunstwerken be-

bachtet.

    In einer kurzen Rezension in French Novelists of Today bezeichnet Henri

eyre La Nausée als "milestone in twentieth-century fiction" durch den Einfluss,

elches dieses Werk auf den 'nouveau-roman' gehabt habe. Es sei weder ein

hilosophischer Roman noch ein 'roman à these', sondern "it audaciously mingles

hilosophy and fantasy, poetry and comedy." Die konkrete Beschreibung einiger

zenen sei "equal to anything in Flaubert and Zola", und enthalte sogar eine

irtuose Satire der "Proustian privileged moments". Ein Widerspruch zeichnet

---

) In Sartres Terminologie ist die "Authentizität" die Erkenntnis der Freiheit
  des Bewusstseins. Authentisch ist somit das Gegenteil jener Menschen der
  "mauvaise foi" - "les salauds", die Bürger von Bouville, d.h., die Menschen im
  llgemeinen - durch welche der Mensch sich selbst und andre als determiniertes
  ing betrachtet und sich jene 'Freiheit' untersagt, welche den 'Schwindel' des
  ewusstseins oder 'Brechreiz' erzeugt, andrerseits aber auch das spezifisch
  harakteristische vom Sein der Existenz gegenüber dem Sein der Dinge ist (Vgl.
  a Transcendance de l'Ego, Paris, Librairie Philosophique J. Vrin 1965 (1934), S. 63).

) Sartre, "Qu'est-ce que la littérature?" , Situations II, Paris Gallimard 1948,96ff.

sich ab, wenn Peyre Roquentins Erlebnis einmal als "visitation from outside"
charakterisiert und es dann jedoch richtigerweise in des Helden Bewusstsein
ansiedelt: "he realizes that we cannot receive any consciousness of the outside world except as a projection of our own minds."[7]

Iris Murdoch widmet der Nausée ein kurzes Kapitel. Sie bezeichnet das
Buch "a poem or incantation rather than a novel."[8] Obgleich es auf verschiedenen
Ebenen gelesen werden könne, sei es hauptsächlich ein philosophisches Werk,
was sich nicht unbedingt mit 'Gedicht' oder 'Zauberspruch' deckt. Die sich
durch das ganze Werk ziehenden Exkurse über verschiedene Kunstformen, die
das Werk dann logischerweise in einer ästhetischen Dimension beschliessen, sind,
laut Murdoch, nur eine Flucht in die Kunst und keine eigentliche Lösung der
Problematik. Indem Iris Murdoch diesen Roman hauptsächlich als ein philo -
sophisches Werk betrachtet -"the instructive overture to Sartre's work" -
könne es nicht nur auf einem abstrakten Niveau gelesen werden, sondern benötige
zur Verständigung Sartres Gesamtwerk. Nur aus einer solchen Perspektive ist es
möglich, die mannigfaltigen epistemologischen Exkurse über Kunst und deren
Funktion innerhalb des Werkes zu übersehen und die ästhetische Lösung nicht
nur als Flucht, sondern auch als vollkommen unbefriedigend zu bezeichnen, denn
Sartre sei "patently uninterested in the aesthetic solution."[9]

Robert Champigny behandelt La Nausée als ein Beispiel pessimistischer
Romantik. Es erinnere an Baudelaires 'ennui' und Rimbauds "Saison en Enfer"[10],

---

7) Henri Peyre, French Novelists of Today, New York: Oxford University Press
   1967 (1955 erste Fassung: The Contemporary French Novel), S. 261.

8) Iris Murdoch, Sartre, Romantic Rationalist, New Haven: Yale University Press
   1953, S. 16.

9) Ebd., S. 18.

10) Robert Champigny, Stages on Sartre's Way, Indiana University Press, Bloomington
    1957, S. 38.

denn es wolle "épater le bourgeois". Andererseits habe dieser Roman "a cathartic value". Dieses begründet er mit des Helden Bestreben "to make people ashamed of their existence"[11], eine Funktion welche Roquentin der Kunst zuschreibe. In diesem Sinne stellt Champigny innerhalb des Tagebuches eine Verlagerung von Moral fest: Roquentin wende sich von der 'Moral des Seins' -- jener der Elite von Bouville, für die moralische Werte wie eine Tatsache existieren -- zur Moral des 'Tuns'. Anstatt ein Kunstwerk sein zu wollen, wie Roquentin es in seinen 'Abenteuern' versuchte, will er jetzt selbst eins machen: schreiben.

Gegenüber jenen Kritikern, welche La Nausée als rein philosophische Abhandlung betrachten,[12] den literarischen Blickpunkt aber entweder ignorieren oder sogar verneinen, untersucht Margot Kruse in ihrem Artikel "Philosophie vs. Dichtung in Sartres La Nausée" besonders diesen letzten Aspekt. Sich auf den Schlüssel-begriff 'Existenz' beziehend, stellt sie fest, dass er in diesem Roman kein ausschliesslich abstrakt-philosophisch fundierter Terminus sei, sondern vom Helden 'erlebt' werde. Daraus erstehe ein Seelenzustand des Ekels oder 'ennui'. Mit diesem verhalte es sich aber "nicht anders als mit dem romantischen Welt-schmerz in den Beknntnisromanen und Erzählungen des 19. Jahrhunderts, die den 'ennui' zum Thema haben."[13] Sie stellt den Roman in eine literarische Tradition

---

11) Ebd., S. 44

12) Iris Murdoch, a.a.O., S. 11 bezeichnet den Roman als Sartres "most densely philosophical novel". -- Robert G Cohn ("Sartre's First Novel", Yale French Studies 1, 1948, S. 62) betrachtet ihn als 'vorontische' Untersuchung im Sinne Heideggers für die Vorbedingung des Selbstseins: "he seeks the pre-condition of being himself". -- Auch Arturo Serrano-Plaja ("Nausea y Niebla", Revista de Occidente 26. 1969, 295-328) bemerkt: "De la Nausea como novela hay poco que decir"(über den Ekel als Roman lässt sich wenig sagen).

13) Margot Kruse, "Philosophie vs. Dichtung in Sartres La Nausée", Yale French Studies 30, 1963, S. 214-225, S. 218.

die vom Werther her über die Fleurs du Mal bis zu Sartre führe. In diesem Kontext
erwähnt sie auch die Verwandtheit der Nausée mit dem Malte Laurids Brigge. In
kurzen Zügen kontrastiert und vergleicht sie Motive in beiden Tagebüchern und
schliesst mit der Beobachtung, dass die Tragik beider Helden letztlich in ihrem
Mangel an Produktivität beruhe, welches seither "ein traditioneller Bestandteil
des 'ennui'-Themas"[14] gewesen sei.

Gerald Bauers Buch Sartre and the Artist[15] geht von der These aus, dass
der Titelwechsel von "Melancholie" zu "Ekel" die eigentliche, nämlich die künstlerische Absicht hinter dem Schleier der Philosophie verdecke. So glaubt er, dass
nicht die philosophische und novellistische Struktur, sondern die Artikulierung
und Evaluierung von Erfahrung durch künstlerische Schöpfung das zentrale Problem
des Buches sei. Der Roman verstehe sich als Suche nach Selbstrechtfertigung
durch verschiedene künstlerische Projekte, welche der Held konfrontiere und
verwerfe. In der Konfrontierung der verschiedenen Kunstformen betont Bauer
nicht genug den Wert und die Wichtigkeit welche das Wort, die schriftstellerische
Arbeit für Roquentin letztlich gewinnt.

Auf Grund ihrer historischen und vergleichenden Arbeitsmethode wirft
Edith Kern in ihrem Buch Existential Thought and Fictional Technique interessante
neue Aspekte zur Auslegung der Nausée auf. Gegenüber Magny und Murdoch, die das
Interesse des Buches im existenziellen Brüten oder philosophischen Meditieren
sehen - die ästhetische Dimension aber nicht als organische Entwicklung ver-

---

14) Ebd., S. 223.

15) Gerald Bauer, Sartre and the Artist, Chicago: The University of Chicago
    Press 1969.

:ehen - verweist Kern besonders auf Roquentins schriftstellerische Tätigkeit,

:lche ihm eine existenzielle Notwendigkeit sei: "To him writing becomes an

<istential necessity."[16] Wie Champigny und Kruse verweist auch Kern auf

:wisse Anklänge an die Romantik; doch während Champigny lediglich auf die

»mantischen Vorläufer von Roquentins Ekel hinweist, behandelt Kern, wie schon

~use, das Tagebuch als einen in der romantischen Tradition stehenden Künstler-

ɔman. Kern jedoch geht weiter als Kruse wenn sie bemerkt, dass durch den

ɪnfluss Nietzsches vor allen Dingen, sich im modernen Künstlerroman eine neue

ʌzette herauskristallisiere: der Aspekt des sich und seine Kunst reflektie-

ɜnden Künstlers. In diesem Sinne schlage sich Roquentins künstlerische Tätig-

ɜit als direktes Resultat seiner existenziellen Ausrichtung nieder, wobei

prache die Vermittlerin zwischen beiden sei: "The ability of changing the

ɔrld, which Sartre accredited to language, made him speak of it as a mode

f action and made him aware of the writer's importance."[17]

Die Rezensionsgeschichte der Nausée beginnt erst nach 1945, ein Jahr nach

er Veröffentlichung des philosophischen Werkes L'Etre et le Néant, welches

artre in die öffentliche Kontroverse rückte. Dadurch ist vielleicht zu erklären,

arum Nausée -- in Anbetracht der Ähnlichkeit des Themas Existenz mit l'Etre

t le Néant -- jahrelang nur vom philosophisch-existenzialistischen Standpunkt

etrachtet wurde, die künstlerische Thematik aber übersehen wurde. Dieses

ndert sich erst in den 60ger Jahren, mit Arbeiten wie jener Edith Kerns,

argot Kruses und Gerald Bauers.

---

6) Edith Kern, Existential Thought and Fictional Technique, New Haven, Yale University Press 1970, S. 87.

7) Ebd., S. 119.

Claude-Edmonde Magny erkennt den 'Ekel' zwar als Prozess der 'Entschleierung der objektiven Wirklichkeit' und damit den Mangel an Notwendigkeit von Existenz, doch sieht sie diesen Prozess hervorgerufen durch das 'Aufgeben von Bewusstsein'. Den Unterschied zwischen empirischem Bewusstsein ("gesellschaftlicher Schale") und intentionalem Bewusstsein -- wie Kern es, von La Nausée ausgehend, beschreibt und ins Zentrum von Sartres Werk stellt -- hat Magny nicht vollzogen. Denn das 'Betrügen' von dem Magny spricht, ähnelt mehr der gesellschaftlichen Protesthaltung, die Champigny mit "épater le bourgeois" charakterisiert. Demgegenüber wird die Entwicklung des neuen intentionalen Bewusstseins eine ontologisch künstlerische Ausrichtung ergeben. In diesem Sinne ist der Entschleierungsprozess ein Resultat der sich verändernden Bewusstseinshaltung. Nicht die Dinge, wie Magny meint, sondern das Bewusstsein verändert sich. Der Akt der Apperzeption ist ein neuer, wodurch neue Deutungen und Erkenntnisse möglich werden.

Auch Pollmann verkennt die Struktur des intentionalen Bewusstseins wenn er das Hauptereignis des Tagebuches in einer surrealistischen Schockwirkung , einer vom "Bewusstsein losgeketteten, über dem Ich hinausliegenden Welt" sieht.

Im Kontrast zu Iris Murdochs Meinung wird in meiner Arbeit klar werden, dass La Nausée durchaus als ein vom Gesamtwerk Sartres unabhängiger und selbstständiger Roman gelten kann und die existenzielle Problematik durch künstlerische Ausrichtung zu einer notwendigen Lösung gelangt. Nur indem die Kritikerin die ästhetische Lösung als 'Flucht' versteht, konnte sie die Bedeutung, welche die Kunst im Laufe des Tagebuches für Roquentin gewinnt, übersehen.

Bauer, Kruse und Kern begreifen den Roman als Künstlerroman. Bauer jedoch ist der Meinung, der Titelwechsel von "Melancholie" zu "Ekel" verdecke hinter

em Schleier der Philosophie die eigentliche künstlerische Absicht. Wenn seine
insicht auch sehr originell ist, so bin ich doch der Meinung, dass es sich
icht eigentlich um 'künstlerische Projekte, die der Held konfrontiert und
erwirft' handele, sondern um Reflexionen über verschiedene Kunstformen, die
oquentin schliesslich zur schriftstellerischen Arbeit führen, welches Bauer
nerwähnt lässt.

Margot Kruses Arbeit ist die einzige, welche auf die Verwandtschaft
wischen La Nausée und Malte eingeht und zwar im Zusammenhang mit dem Thema
ennui', welches sie allerdings mit dem 'Weltschmerz' des 19. Jahrhunderts
ergleicht, so dass die Tragik beider Helden in ihrem Mangel an Produktivität
eruhe, welches seit jeher "ein traditioneller Bestandteil des 'ennui'-Themas"
ewesen sei. Dass dies zu oberflächlich gesehen ist wird, wie auch Kern
chon zeigt, im letzten Kapitel einsichtig werden.

Es ist Edith Kerns Verdienst, nicht nur das Tagebuch als Künstlerroman
erstanden zu haben, sondern auch auf den unter Nietzsches Einfluss sich
instellenden Aspekt des sich und seine Kunst reflektierenden Künstlers hin-
ewiesen zu haben. Diesen Ansatz werde ich in meiner Interpretation verfolgen,
ndem ich zeige, dass des Helden künstlerische Tätigkeit am Ende, ähnlich wie
ei Malte, als direktes Resultat seiner Reflexion über Kunst und Existenz
erstanden werden muss. Sprache ist dabei die Vermittelerin, wie Kern sagt:
The ability of changing the world, which Sartre accredited to language, made
im speak of it as a mode of action and made him aware of the writer's
mportance.

Ob sich das literarische Kunstwerk mit dem sozialen Aspekt der 'condition
humaine' befasst, wie Sartres spätere Romane, oder über die ontologische

Kondition des Menschen reflektiert, wie die beiden in dieser Arbeit besprochenen

Werke: Reflexion und Analyse sind hier wie dort 'miroir critique'. Es wird in

dieser Arbeit klar werden, dass intentionales[*] Bewusstsein in beiden Werken

ein Kernbegriff ist zur Überwindung psychologisch-existenzieller Probleme

durch künstlerische Gestaltung.

---

[*] Intentionales Bewusstsein ist das objektgerichtete Bewusstsein, 'Bewusstsein von Etwas', welches durch den Prozess der 'Reduktion' -- Ausklammerung des natürlichen Standpunkts' (Husserl), d.h., so frei wie möglich von vorkonzipierten Vorstellungen -- die Dinge erkennen will.

K A P I T E L   II

ZUR PROBLEMATIK DER EXISTENZIALISTISCHEN TRADITION

Was ist Existenzialismus? Es scheint keine einheitliche Formulierung zu
eben, diese Weltauffassung zu beschreiben, weil sie nicht als abgeschlossenes
hilosophisches System, sondern als Vielfalt unterschiedlicher Kriterien er -
cheint, in deren Mittelpunkt jeweils das Problem der menschlichen Existenz

ritt:

Existentialism is not a philosophy but a label for several widely
ifferent revolts against traditional philosophy... Certainly,
xistentialism is not a school of thought nor reducible to any set
f tenets. The three writers who appear invariably on every list of
existentialists" - Jaspers, Heidegger, and Sartre - are not in
greement on essentials. Such alleged precursors as Pascal and
ierkegaard differed from all three men by being dedicated Christians:
nd Pascal was a Catholic of sorts while Kierkegaard was a Protestant's
rotestant. If, as is often done, Nietzsche and Dostoevsky are included
n the fold, we must make room for an impassioned anti-Christian and
n even more fanatical Greek-Orthodox Russian imperialist. By the
ime we consider adding Rilke, Kafka, and Camus, it becomes plain
hat one essential feature shared by all these men is their perfervid
ndividualism."[1]

    Auch Bollnow sagt ganz ähnlich:

Der Erfassung der Existenzphilosophie stellen sich so von Anfang an
estimmte Schwierigkeiten entgegen. Es ist nicht möglich, einfach

---

) Kaufmann, a.a.O., S. 11.

eine geschlossene Gruppe von Existenzphilosophen zugrunde zu legen und
aus ihnen unmittelbar ein einheitliches Bild zu gewinnen, sondern bei
allen... handelt es sich immer schon um eigentümliche Fortbildungen
und Umbildungen, die untereinander völlig verschieden sind und die sich
nicht mehr vom ursprünglichen Ansatz des Existenzbegriffs, sondern
nur aus der besonderen Absicht der einzelnen Denker verstehen lassen."[2]

Trotz der Schwierigkeit die Bewegung auf einen einzigen Nenner zu bringen,

lassen sich jedoch ganz bestimmte Themen und Motive herauskristallisieren,

die - von religiösen wie nicht-religiösen Existenzialisten gleichermassen -

als zentral betrachtet werden:[3] Einsamkeit des Einzelnen (Entfremdung),

Freiheit, Entscheidung, Angst, Tod. Dies sind die allgemeinen Themen des

existenzialistischen Menschen - individuelle Akzentuierungen sind unter -

schiedlich - die aus einem gleichen Grundgefühl entspringen, welches Miguel

de Unamuno erfasst:

"Woher komme ich und von woher kommt die Welt in welcher ich lebe
und von welcher ich lebe? Wohin gehe ich und wohin geht all das was
mich umgibt? Was bedeutet dies alles? Solches sind die Fragen des
Menschen... und sehen wir genau hin, so werden wir feststellen, dass
hinter diesen Fragen nicht so sehr der Wunsch steht zu wissen warum,
als vielmehr das Wozu: nicht der Grund sondern das Ziel."[4]

Die Erkenntnis des spanischen Existenzialisten, nämlich dass die Fragen

nach dem Ziel der Existenz unbeantwortet bleiben, hat die Dichter und Denker

seit Kierkegaard auf die Existenz selbst zurückgelenkt. Kierkegaards Begriff

---

2) Bollnow, Existenzphilosophie, a.a.O., S. 15.

3) Kaufmann, a.a.O., S. 17.

4) Meine Übersetzung aus Miguel de Unamuno, Del sentimiento trágico de la
   vida (1912)(Vom tragischen Gefühl des Lebens') in: Obras Completas , Vol. XVI,
   Afrodisio Aguado, Madrid 1958, S. 159: "De dónde vengo yo y de dónde viene el
   mundo en que vivo y del cual vivo? A dónde voy y a dónde va cuanto me rodea?
   Qué significa esto? Tales son las preguntas del hombre... y si miramos bien,
   veremos que debajo de esas preguntas no hay tanto el deseo de conocer un por
   qué como el de conocer el para qué: no de la causa, sino de la finalidad."

er Existenz ist charakterisiert durch den Einzelnen, das Individuelle: ass das Wesen des Menschen nicht als Abstraktum in einem philosophischen ystem gedacht werden kann, sondern es konkret und individuell gelebt werden uss. In seiner "Abschliessenden Unwissenschaftlichen Nachschrift" (1846) atte Kierkegaard den mit seiner eigenen Existenz sich befassenden enschen den "subjektiven Denker" oder den "existierenden Denker" als ampfbegriff gegen den "abstrakten" oder "systematischen Denker", den Kierke- aard vor allem in Hegel verkörpert sah, bezeichnet.[5] Für den systematischen enker fallen Existenz und Denken auseinander, beim existenziellen Denker ber dreht sich sein ganzes Denken nur um seine Existenz. Was aber nun ersteht man unter Existenz? Sartre definiert "l'existence precède l'essence".[6] uch Heidegger formuliert: "Das Was-sein (essentia) dieses Seienden muss, ofern überhaupt davon gesprochen werden kann, aus seinem Sein (existentia) egriffen werden."[7] In anderen Worten, das Wesen des Menschen (essentia) ird nicht mehr wie in der humanistischen Auffassung vergangener Jahrhunderte ls etwas dem Menschen Inherentes, in sich selbst Geschlossenes, Ruhendes rfasst, nicht etwas gegebenes, sondern etwas zu machendes: aus den vielen Möglichkeiten des Seins baue ich mir meine Existenz, die mein Wesen definiert. ies ist die Freiheit des Menschen, die Sartre ins Zentrum seines Werkes stellt.[8]

---

5) Soeren Kierkegaard, "Abschliessende Unwissenschaftliche Nachschrift", Ge- sammelte Werke, D. Diederich, Düsseldorf 1955-66 (1846), Vol. 16, S. 179ff.

6) Jean-Paul Sartre, L'Existentialisme est un Humanisme, Paris 1947, S. 5.

7) Martin Heidegger, Sein und Zeit, a.a.O.

8) William Barrett, What is Existentialism, Grove Press, Inc., New York 1964, S.67: "Perhaps we are indebted to Sartre, even more than Heidegger, for emphasizing freedom and placing it at the center of his thought."

Bei Kierkegaard jedoch erzeugt diese Freiheit des Menschen Schwindel. Angesichts

der Grund- und Ziellosigkeit, die Unamuno als die existenzielle Grunderfahrung

des Menschen beschrieb, und der daraus enstehenden Freiheit und Verantwortung,

seiner eigenen Existenz Grund und Boden zu erobern, empfindet der Mensch, laut

Kierkegaard, Angst. Doch diese Angst der Ungeborgenheit[9] ist letztlich nicht

negativ, sondern positiv zu bewerten, denn nur

"im Durchgang durch die Angst ist nämlich eigentlich Existenz erreichbar...
(Angst) ist wie ein Feuer, das alles Unwesentliche in ihm verzehrt...
um im Durchgang durch diesen schmerzhaften Vorgang alle Versteifungen,
alle Gehäuse und Sicherungen zu vernichten und ihn ganz der Ungeborgenheit
zu überantworten, in der allein echte Existenz entspringt. Die Angst ist
in der Tat wie ein Schwindel, der den Menschen in allem insicher macht,
aber erst in dieser Unsicherheit offenbart sich eigentliche Existenz.
So kann Kierkegaard feststellen:'Die Angst ist der Schwindel der Freiheit'."[10]

1844 veröffentlichte Kierkegaard eine Schrift unter dem Titel "Der Begriff

der Angst". Er unternahm es, diesen Begriff als psychologisch-philosophische

Kategorie aufzustellen. Gegenüber der Furcht, als eine Reaktion des Gemüts

vor einer bestimmten Sache, sei die Angst nicht zu definieren, sei Angst eine

Stimmung des Gemüts vor etwas Unbestimmbaren, vor "Nichts": "Aber welche

Wirkung hat Nichts? Es gebiert Angst."[11]   Heidegger sagt: "Angst ist diejenige

Grundbefindlichkeit, die vor das Nichts stellt."[12] So ist die Angst jenes

Gefühl, welches unser prekäres Verhältnis zur Welt aufdeckt. Das Paradoxe der

Angst ist somit seine aufrüttelnde Kraft, die aus der Lethargie eines 'Massen-

---

9) Vgl. Egon Holthusen, Der Unbehauste Mensch, Piper, München 1952.

10) Bollnow, Existenzphilosophie, a.a.O., S. 63.

11) Kierkegaard, "Der Begriff der Angst", GW 11. und 12. Abt., S. 39.

12) Heidegger, Kant und das Problem der Metaphysik, Bonn 1929, S. 228.

ebens' zu einer 'individuell bewussten' Existenz führt. Es ist dieser entscheidende Prozess oder "schmerzliche Durchgang durch die Angst", welchen
man sowohl bei Roquentin in La Nausée[13] als auch bei Malte beobachten kann
(vgl. Kapitel 4, S. 75ff dieser Arbeit). Nur im Absondern von der unreflektiven
Masse ("den Leuten") gelangt das Individuum - aufgerüttelt durch die Angst -
in bewusster Reflexion zur eigenen Existenz. In dieser Konfrontierung
zweier Seinsweisen wird das Sein der anonymen Masse als ein zum "en-soi"[14]
der Dinge hintendierendes charakterisiert, das Sein des bewusst-reflektierenden
Individuums jedoch als "pour-soi",

"als ein über sich selbst hinausweisendes Verhältnis, ein Bezug... -
Das ist als unmittelbare Lebenserfahrung und jenseits aller eigentlichen
philosophischen Überlegungen, bei Rilke in einer letzten Klarheit
begriffen worden, bei dem sich das Wort 'Bezug' immer wieder zur
Bezeichnung grade des entscheidenden menschlichen Seins aufdrängt."[15]

Der Rilkesche "Bezug", das Sartresche "pour-soi" oder Nietzsches Wort,
dass der Mensch nur "ein Übergang und ein Untergang" sei, sind verschiedene
Formulierungen für ein und dieselbe menschliche Erfahrung: dass man Existenz

---

13) Vgl. Bollnow, Existenzphilosophie, a.a.O., S. 66: "Nur eine zur letzten
Steigerung angewachsene Langeweile ist auch die Stimmung die J-P Sartre
in seinem Roman La Nausée in ausführlichen und eindringlichen Analysen ent-
wickelt. Die nausée wird hier sehr viel umfassender genommen, als es dem im
Deutschen vielleicht doch enger am Geschmacklichen haftenden Begriff des
Ekels entspricht, und bleibt zwischen Langeweile, Überdruss, Angst, und
Verzweiflung eigentümlich in der Schwebe. Auch hier ist es also ein eigentümliches
Gefühl der Sinnentleerung seines gesamten Daseins, das den Helden des Romans vor
die Erfahrung wirklicher Existenz zwingt. Dieser Zusammenhang ist darum bedeutsam,
weil in einer ganz ähnlichen Weise, wie die deutsche Existenzphilosophie auf
Kierkegaards "Begriff der Angst" zurückgeht, Sartres "Nausée" den entscheidenden
Einsatzpunkt bezeichnet, mit dem die Entwicklung des französischen Existenzia-
lismus beginnt."

14) Sartre, L'Etre et le Néant, Gallimard Paris 1943, S. 30ff und 115ff.

15) Bollnow, Existenzphilosophie, a.a.O., S. 32.

nicht <u>hat</u> wie ein Objekt, sondern dass es ein immer wieder neu zu Erwerbendes,
ein zu "Leistendes" (Rilke) sei. In diesem Zusammenhang erhält der Tod eine
neue Bewertung. Ob christlich oder atheistisch aufgefasst, der Tod begrenzt
die Existenz jedes Menschen. Kierkegaard hatte das Bewusstsein darauf gelenkt,
dass der Tod eben nicht eine anonyme Tatsache sei, die am Ende des Lebens
irgendwann einmal stattfindet, sondern dass es eine jeden Augenblick eintretende
Möglichkeit ist.[16] Bei Rilke heisst es in diesem Sinn, wie 'die Frucht mit dem
Kern', so wird der Mensch mit seinem Tod, mit seinem eigenen Tod geboren: Im
<u>Malte</u> kann man in der 8. Aufzeichnung lesen:

> Gegenüber dem anonymen Massentod, den Malte in Paris beobachtet "(wird)
> jetzt in 559 Betten gestorben. Natürlich fabrikmässig. Bei so enormer
> Produktion ist der einzelne Tod nicht so gut ausgeführt, aber darauf
> kommt es auch nicht an. Die Masse macht es. Wer giebt heute noch
> etwas für einen gut ausgearbeiteten Tod? Niemand. Sogar die Reichen,
> die es sich doch leisten könnten, ausführlich zu sterben, fangen an,
> nachlässig und gleichgültig zu werden; der Wunsch, einen eigenen Tod
> zu haben, wird immer seltener. Eine Weile noch, und er wird ebenso
> selten sein wie ein eigenes Leben...
> Früher wusste man (oder vielleicht man ahnte es), dass man den
> Tod in sich hatte wie die Frucht den Kern. Die Kinder hatten einen
> kleinen in sich und die Erwachsenen einen grossen. Die Frauen hatten
> ihn im Schooss und die Männer in der Brust. Den <u>hatte</u> man, und das
> gab einem eine eigentümliche Würde und einen stillen Stolz." (713)

Kierkegaard, Jacobsen, Rilke

Im folgenden will ich zeigen, in welchen Punkten Rilkes Denken dem der
beiden Dänen nahekommt. Im März 1904 schreibt Rilke aus Rom: "Ich lese Soeren
Kierkegaard. Und diesen Sommer lerne ich Dänisch, um ihn und Jacobsen in ihrer
Sprache zu lesen."[17] Bollnow bemerkt dazu: "Seine (Rilkes) eingehende Beschäftigun

---

16) Ebd., S. 68.
17) Rilke, <u>Briefe</u> II, S. 143.

it Kierkegaard beginnt schon vor seinem schwedischen Aufenthalt aus dem Jahre

904, wohl im Zusammenhang seiner grossen Verehrung für Jacobsen. Immer wieder

eist er in seinen Briefen mit einem besondren Nachdruck auf ihn hin."[18] Aus

erschiedenen brieflichen Belegen folgert Bollnow, zeige sich

die nachhaltige Wirkung...., die Kierkegaard auf Rilke gehabt hat.
ei der sparsamen Art, mit der er überhaupt von seiner Lektüre spricht,
ässt sich abschätzen, dass kein Denker auf ihn jemals einen auch nur
nnähernd gleich gewichtigen Einfluss ausgeübt hat. Und wenn man, durch
iese Erwähnung aufmerksam gemacht, jetzt Rilkes geistige Entwicklung
m ganzen überblickt, dann dürfte es kaum zu hoch gegriffen sein, wenn
an sagt, dass Kierkegaard die entscheidende Wendung in Rilkes Leben
edeutet. Er ist es gewesen, der ihn aus dem unverbindlichen schwär -
erischen Lebensentusiasmus seiner Jugend herausgerissen und auf
eine eigenste Bahn gewiesen hat. Nur in der Begegnung mit Kierkgaard
at Rilke zu sich selber gefunden."[19]

In diesem Zusammenhang weist Bollnow auf die Kierkegaardsche Akzentuierung
er Angst als dominierenden Einfluss auf Rilke:"... der Malte ist in weiten
eilen die Verarbeitung der durch Kierkegaard gegebenen Anforderungen.
ie zentrale Bedeutung, die das Erlebnis der Angst hier einnimmt, dürfte ohne
en Einfluss Kierkegaards nicht verständlich sein."[20] Im vierten Kapitel dieser
rbeit wird bewiesen werden, dass diese Angst - auffällig besonders im 1. Teil
es Malte - zu einem 'Läuterungsprozess' führt und dann zur Überwindung dieser
Angst.

In ihrer Studie Kierkegaard and Rilke. A Study in Relationships erforscht
Gertrude Schuelke die Beeinflussung Rilkes durch Kierkegaard anhand des
Todesmotivs: Almost every thought which Rilke presents in the entire division

18) Bollnow, Rilke, a.a.O., S. 21.

19) Ebd., S. 23.

20) Ebd., S. 24ff.

(1904-1910) has its counterpart in the Danish author. Not only do certain points of independent agreement re-appear, but they move to a depth which was not previously evident in Rilke's work."[21] In dieser von der Autorin untersuchten Periode sei der Tod für Rilke die andere Seite des Lebens, jene von den Menschen nicht beleuchtete. So spricht Malte in der 68. Aufzeichnung von jener Halbkugel, die, wenn auf diejenige des "Daseins gepasst, wie zwei volle Hemisphären zu einer heilen, goldenen Kugel zusammengehen" zu einer "Welteinheit":

"... er schliesst die Augen über einer wiedergelesenen Zeile, und ihr
Sinn verteilt sich in seinem Blut. Nie war er der Antike so gewiss...
Nun begreift er momentan die dynamische Bedeutung jener frühen Welteinheit, die etwas wie ein neues, gleichzeitiges Aufnehmen aller
menschlichen Arbeit war. Es beirrt ihn nicht, dass jene konsequente
Kultur mit ihren gewissermassen vollzähligen Versichtbarungen für
viele spätere Blicke ein Ganzes zu bilden schien und ein im Ganzen
Vergangenes. Zwar ward dort wirklich des Lebens himmlische Hälfte
an die halbrunde Schale des Daseins gepasst, wie zwei volle Hemisphären
zu einer heilen, goldenen Kugel zusammengehen." (928f)

Mit dem "gleichzeitigen Aufnehmen aller menschlichen Arbeit" ist wohl u.a. auch das Phänomen des Todes gemeint, welches nicht aus dem Leben hinausgeschoben werden soll, sondern - als der, wenn auch unbekannte, aber mit zum Leben gehörige Aspekt - aufgenommen werden muss, damit eine Totalität entstehen kann. Rilke erkennt, nur in der Akzeptierung des Todes als integralen Aspekt der Existenz kann der Mensch seine Existenz potenzieren.

Bei einem Vergleich zwischen Kierkegaard und Rilke scheint es mir wichtig, darauf aufmerksam zu machen, dass sie sich in wichtigen Aspekten unterscheiden. Kierkegaard hatte das absurde Paradox der Existenz - 'zum Tode geboren' - durch ein zweites Absurdum - den christlichen Glauben - überwunden. Rilke

---

21) Gertrude Schuelke, Kierkegaard and Rilke. A Study in Relationships,
Doktordissertation Stanford 1950, S. 240ff.

agegen hatte das Christentum seiner Kindheit früh abgelegt:[22] "Glaube! giebt
 nicht - nur Liebe!"[23]

Andererseits unterscheiden sich auch ihre Positionen dem Ästhetischen
egenüber. Für Kierkegaard ist Dichten Sünde, weil diese Tätigkeit das
ewusstsein von der Existenz ablenkt:

In his consideration of the three possible progressive and interlinked
tages of human life, the aesthetic, the ethical, and the religious, he
Kierkegaard) gives to the aesthetic ('the path of perdition') a very
ow position by restricting it to one level or another of momentary
ensory perception. Eventually, at the point of pleasure-saturation...
oredom enters... As Kierkegaard uses the term, the 'aesthetic' is purely
stage of the immediacy of the fleeting moment and far removed from the
igh role assigned to it by such German writers as Schiller and Hölderlin."[24]

In einer Aufzeichnung seines Tagebuches von Januar 1848 bekennt
ierkegaard:

What does being a poet mean?... Christianly conceived... every poet
xistence is sin, the sin - to poetize instead of to be, to be related
o the Good and the True through the medium of imagination instead of
eing it, that is, existentially striving to be it."[25]

Wenngleich Rilkes ganzes Denken und Dichten sich nur um die Existenz
rehte,[26] und sein Dichten seine Existenz war, so blieb ihm doch die Dichotomie
wischen Kunst und Existenz deutlich, wenn er die Kunst 'die leidenschaftlichste

---

2) Gabriel Marcel, Homo viator, London, Victor Gollancz Ltd., 1951, S. 216:
"It will be as well to say once and for all that we should be giving a
ompletely false idea of Rilke's thought if we did not make it quite plain that
here is in him an increasing opposition to the religion of Christ." -- In seinem
agebuch vom 4. Oktober 1900 schreibt Rilke über die Gefahr, welche Christus für
unge Leute darstelle, weil er Gott verdecke. -- Später spricht Rilke von Gott
elbst als "einer Richtung des Herzens" (Br. a.M., Dez 28/21) und verlegt Gottes
ttribute auf die Schöpfung, Liebe, Tod: 'Gottes namenloser Aufstieg aus unserm
tem und sein Niederstieg als fallender Regen' (Br. a.M., S. 195 an Ilse Jahr).

3) Rilke, Briefe aus Muzot, Brief an Ilse Blumenthal-Weiss, Dez 28/21.

4) Schuelke, a.a.O., S. 178.

5) Kierkegaard, The Journals, S. 280.

6) Bollnow, Rilke, a.a.O., S. 10: "Immer ausschliesslicher sammelt sich im Verlauf
dieser Entwicklung Rilkes ganzes Schaffen um die eine Frage nach dem Wesen des
enschen.

Umkehrung der Wirklichkeit' charakterisiert.

Nun weist Bollnow aber selbst auch darauf hin, dass nicht nur Kierkegaard, sondern auch Jacobsen einen besonderen Abschnitt in Rilkes Leben bedeute. Dieser Abschnitt liege gerade in der Vor-Malte-Zeit, um 1903/04.[27] Von Jacobsen schreibt Rilke 1904 aus Rom an Lou: "Du glaubst nicht wie notwendig er mir geworden ist... es ist sogar so, dass man, wenn man irgendwo im Wichtigen geht, sicher sein kann, an einer Stelle herauszukommen, wo auch er ist, wenn man weit genug geht."[28] Und an den jungen Dichter Franz Kappus, dem er die Lektüre von Jacobsens Werken empfohlen hatte: "Nun wird sich Ihnen Niels Lyhne auftun, ein Buch der Herrlichkeiten und der Tiefen, je öfter man es liest; es scheint alles drin zu sein, von des Lebens allerleisestem Dufte bis zu dem vollen, grossen Geschmack seiner schwersten Früchte."[29]

Interessant ist nun, dass Rilke selber diese zwei so unterschiedlichen Einflüsse - Jacobsen und Kierkegaard - in einem Atemzug nennt.[30] Denn wenngleich beide Dänen von demselben Gefühl der Sinnentleerung der Existenz überzeugt waren, so hatten sie auf Grund gerade dieser Überzeugung entgegengesetzte Richtungen eingeschlagen. Während Kierkegaard seinen "Sprung in den Glauben" machte und somit ein Absurdum mit einem andern überwandt, verharrte der Atheist

---

27) Ebd., S. 24.

28) Rilke, Briefe 1902/21, Brief vom 12. Mai 1904, S. 156.

29) Ebd., 23 April 1903.

30) "Ich lese Soeren Kierkegaard, und diesen Sommer lerne ich Dänisch, um ihn und Jacobsen in ihrer Sprache zu lesen." (Rilke, Briefe II, S. 143)

acobsen - wie sein Spätwerk und Held <u>Niels Lyhne</u> (1880) - bis zum Ende in

er Verneinung des christlichen Glaubens: "diesen ererbten Drange" und "Traum",

ine "Zuflucht der Menschen... vor der heiligen Sache der Wahrheit...: das Leben

o zu ertragen, wie es nun einmal war, und das Leben sich nach den eigenen

esetzen des Lebens bilden zu lassen."[31] Von dieser letzten Einsicht Niels

ässt sich eine Parallele zu Maltes ziehen, wenn er an Baudelaires Gedicht

Une Charogne" beispielhaft erkennt: "Auswahl und Ablehnung giebt es nicht."

Clementina di San Lazzaro deckt die Ähnlichkeit zwischen Jacobsen und

ilke auf:

"Aus dem tapferen Bekenntnis Jacobsens zu der Wirklichkeit, aus seiner
berzeugung, dass man das eigene einmalige Leben leben und den eigenen
od sterben müsse... geht eine tiefe Verwandtschaft mit dem Wesen und
er Kunst Rilkes deutlich hervor."[32]

Die Betonung der Einmaligkeit des eigenen Lebens und des eigenen Todes

indet sich im <u>Malte</u> besonders in der Aufzeichnung über den Tod des Gross-

aters Brigge illustriert (8. Aufzeichnung). Gegenüber dem fabrikmässigen.

assentod ("jetzt <u>wird</u> in 559 Betten <u>gestorben</u>") stirbt Christoph Detlev

rigge seinen "eigenen Tod", den "der Kammerherr sein ganzes Leben in sich

etragen und aus sich genährt hatte..." (720). Eindrucksvoll hat Rilke die

inmaligkeit der Existenz in der 9. Elegie festgehalten:

---

1) Jens Peter Jacobsen, <u>Niels Lyhne</u> (aus dem Dänischen von Mathilde Mann),
   Hesse & Becker Verlag, Leipzig 1926, S. 297f.

32) Clementina di San Lazzaro, "Die Aufzeichnungen des <u>Malte Laurids Brigge</u>
   von Rilke in Vergleich mit Jacobsens <u>Niels Lyhne</u> und Gides <u>Nourritures</u>
   <u>Terrestres</u>, in: Germanisch-Romanische Monatsschr. 29/41, S. 106-117, S. 107.

Aber weil Hiersein viel ist...
...
                    Einmal
Jedes, nur einmal. Einmal und nicht mehr. Und wir auch
einmal. Nie wieder. Aber dieses
einmal gewesen zu sein, scheint nicht widerrufbar...

Trotz der von ihr festgestellten grundlegenden Haltung der Existenz

gegenüber folgert Clementina di San Lazzaro, unterscheide sich "der Deutsche

von dem Dänen, sodass der _Malte_ einen ganz andern Sinn als der _Niels Lyhne_

erhält und in einem viel helleren und positiven Licht erscheint, nämlich in

dem Gottesbegriff."[33] Wichtiger als der Gottesbegriff scheint mir für einen

Vergleich der beiden Romane die Position der Künstlergestalten zu sein.

Niels Lyhnes Künstlertum versickert im Laufe seines Lebens:

"Niels war sehr einsam. Er hatte keinen Verwandten, keinen Freund,
der seinem Herzen nahe gestanden hätte. Aber eine weit grössere
Einsamkeit als diese bedrückte ihn... Er wusste nicht, was er mit
sich selber und mit seinen Gaben anfangen sollte. Es war ja ganz
schön, dass er Talent besass, er konnte es nur nicht verwenden: ....
Sein Talent wurzelte in etwas Längstvergangenem und lebte nur darin,
konnte keine Nahrung aus seinen Ansichten, seiner Überzeugung, seinen
Sympathien saugen, konnte das alles nicht in sich aufnehmen und
umgestalten; sie flossen auseinander, diese zwei Dinge, wie Wasser
und Öl, wohl konnte man sie zusammenschütteln, aber sie konnten
nicht vermischt, konnten niemals zu einem Ganzen werden."[34]

Malte dagegen ringt sich gerade durch seine neu gewonnenen Einsichten

- durch das 'Neue Sehen' - zu echtem und eigenem Künstlertum durch (Vgl.

Kapitel 4 dieser Arbeit). Bei Niels führen alle Erfahrungen und Erkenntnisse

des Lebens zu einem tiefen Pessimismus und tiefer Melancholie:

"Das Leben hatte doch viel Schönes gehabt, dachte er, wenn er sich
die frische Brise am heimatlichem Strande zurückrief, das leise
Säuseln in Seelands Buchenwaldungen, die reine Bergluft... Aber
sobald er an die Menschen dachte, ward ihm wieder elend zumute.
Er rief sie sich einzeln ins Gedächtnis, und alle gingen sie
an ihm vorüber und liessen ihn allein; auch nicht einer blieb
bei ihm zurück."[35]

---

33) Ebd., S. 107   34) _Niels Lyhne_, a.a.O., S. 268f.   35) Ebd., S. 3

Niels kann seine Gefühle und Erkenntnisse nicht objektivieren und
verwandeln" ("er konnte das alles nicht in sich aufnehmen und umgestalten");
alte dagegen gelingt diese Umgestaltung, u.a. besonders prägnant in der
eugestaltung der Legende in der letzten Aufzeichnung. Hier distanziert er
ich von und objektiviert er sein eigenes Sein, sodass er sich

allgemein und anonym fühlte wie ein zögernd Genesender... und aus
en Wurzeln seines Seins ( ) sich die feste, überwinternde Pflanze
iner fruchtbaren Freudigkeit (entwickelte). Ja, seine innere
assung ging so weit, dass er beschloss, das Wichtigste von dem,
as er früher nicht hatte leisten können, was einfach nur durch-
artet worden war, nachzuholen. Er dachte vor allem an die Kindheit,
ie kam ihm, je ruhiger er sich besann, desto ungetaner vor;
lle ihre Erinnerungen hatten das Vage von Ahnungen an sich, und dass
ie als vergangen galten, machte sie nahezu zukünftig. Dies alles
och einmal und nun wirklich auf sich zu nehmen, war der Grund
eshalb der Entfremdete heimkehrte." (942, 944)

Hier ist die Einsamkeit der Entfremdung überwunden, die Erkenntnis
es "Eigenen", des "Ichs" geht über in Handlung. Die Entfremdung ist
berwunden, so dass der Held "heimkehren" kann und zwar als "Genesender";
r hat sich - abseits der nivellierenden Macht der Masse (Familie) - seine
igene Identität und Kern ("aus den Wurzeln seines Seins") errungen.
Wurzel" und "feste, überwinternde Pflanze" betonen das Organische und
auernde dieser Entwicklung. Während Niels Gedanken sich nur mit der Ver-
angenheit beschäftigen und somit die Melancholie von Unwiederholbarem
rzeugen, haben die Erinnerungen des Helden der Legende "das Vage von
hnungen", die Zuversicht, Zukunft und Hoffnung auslösen. Zudem sind die
nhalte beider Romane durch ihre jeweiligen Strukturen unterbaut. Die
hronologische Erzählung des Niels Lyhne hängt am Faden der Zeit und ist
omit auf die deprimierende Qualität von Unwiederbringlichkeit aufgebaut,
ie Struktur der Simultaneität des Malte jedoch durchbricht und überwindet
ie Chronologie (vgl. Kapitel 5).

Wie Clementina di San Lazzaro feststellt, erscheint der "Malte in einem viel helleren und positiven Licht" als der Niels, wie die zwei oben angeführten Zitate zeigten. Niels einzig positive Wertung des Lebens gehört der Natur. In seiner Gegenüberstellung von Natur und Menschen ist implizite hier schon das enthalten, was in einem späteren Roman, La Nausée, konsequent durchreflektiert wird: der Unterschied der Seinsweisen der Dinge (en-soi) und der Menschen (pour-soi). Was Niels nur intuitiv fühlt, Roquentin aber nach langem Reflektieren deutlich zu Bewusstsein kommt, ist, dass das Sein der Dinge nicht in der Zeit abläuft, d.h., das Sein der Dinge ist Zeit. Die Erinnerungen welche Niels von der "frische(n) Brise am heimatlichen Strande" oder vom "leise(n) Säuseln in Seelands Buchenwaldungen" hat, bringen ihm glückliche Erinnerungen, weil sie 'zeitlos' sind. Die Erinnerungen der Menschen jedoch stimmen ihn melancholisch, weil er die 'Unwiederbringlichkeit' der menschlichen Existenz im Kontrast zur 'zeitlosen' Ebene der Natur fühlt. Dies macht ihn"elend". Es ist in diesem Zusammenhang nicht uninteressant daran zu erinnern, dass Sartre seinen Erstlingsroman ursprünglich Melancholie betitelt hatte und erst auf den Rat seines Herausgebers den Titel zu La Nausée umänderte.[36] Es bietet sich hier eine Untersuchung dieser beiden Termini an: Melancholie, Trübsal (ennui) vs. Ekel (nausée).

In seinem Artikel "Ennui-spleen-nausée-tristesse: Vier Formen literarischen Ungenügens an der Welt"[37] verfolgt Werner Arnold eine historische Abwandlung

---

36) Steven Ungar, "Sartre as Critic" in: Diacritics 1/71, S. 34.

37) W. Arnold, "Ennui-spleen-nausée-tristesse: Vier Formen literarischen Ungenügens an der Welt" in: Die Neueren Sprachen 4/66, S. 159-173.

r im Titel genannten Schlüsselbegriffe. In der französischen Frühromantik
'réromantisme) stehe der Begriff 'ennui' für die "Spannung zwischen einem
cht näher bestimmten idealen Ziel und dem Unvermögen dieses Ziel zu erreichen...
s Bewusstsein dieser Unzulänglichkeit erzeugt Niedergeschlagenheit, Melancholie,
Übsinn." Bezeichnende Beispiele seien Chateaubriands René und Sénancours
ermann - beide erschienen 1804, im selben Jahr wie Bonaventuras Nachtwachen!
ennzeichnend für den Autor und die ganze Epoche ist, dass der Held an einer
älerischen Selbstanalyse eine gewisse Lust findet, dass er sich gewisser-
ssen an seinem Schmerz weidet: 'Volupté de la mélancholie'."[38] Diese sich
ı 'ennui' aussprechende Unzulänglichkeit verbindet Arnold - bei der fran-
sischen Frühromantik als auch später wieder bei Baudelaire - mit einem
ichterischen Bewusstsein der eigenen Gespaltenheit." Dieses Phänomen
eite sich bei Baudelaire vom 'ennui' zum 'spleen' aus. Mehrfach als
nonym zu 'ennui' gebraucht, gehe andererseits der "'spleen' über den
nnui' insofern hinaus, als er sich deutlich dem Bereich des Neurotischen,
 Pathologischen nähert."[39] Was sich in diesen Begriffen ausdrücke sei demnach nicht
ne Wesenserfassung des Menschen, sondern eine dichterische Haltung der
sellschaft gegenüber:

enn die Gesellschaft ihn (den Dichter, den Künstler) nicht mehr
fragt, seine Wahrheiten nicht mehr zu ihrer Erkenntnis der Welt
s wesentlich empfindet, gerät der Künstler leicht ins Masslose,
e es Goethe im Tasso darstellt. Dem Dichter nach Tasso wird die
ennung zwischen Künstler und Gesellschaft, zwischen Kunst und
ben zum Problem. Nun erst fühlt er sich aufgerufen, sich selber

---

) Ebd., S. 161.

) Ebd., S. 162, 163.

zu definieren, sich dem Leben gegenüber, in einem höchsten Akt der
Selbsterkenntnis, zu rechtfertigen. <u>Nicht, dass er sich als Mensch
und Individuum zu erkennen trachtete</u> (meine Herausstellung). Das hat
jeder Künstler schon von jeher zu tun versucht. Sondern in seiner
Eigenschaft als Künstler, also rein existentiell, muss er sich als
nicht mehr selbstverständlich menschliche Erscheinung neu definieren."[40]

Führte Rousseaus Ruf 'zurück zur Natur' bei Chateaubriand und Sénancour

zu einer Flucht vor der Zivilisation und Gesellschaft, "um in der Unberührtheit

der Natur, ( ) sich in fast völliger Einsamkeit einer uferlosen, quälerischen

Selbstanalyse zu überlassen",[41] so ergibt sich bei Vigny - statt Flucht vor

der Gesellschaft - vielmehr die "ihn bedrängende Frage nach der Nützlichkeit

des Dichters."[42] Vignys <u>Stello</u> sagt: "Der Dichter trägt einen Fluch auf

seinem Leben und eine Segnung auf seinem Namen."[43] Vergleicht man nun den

'ennui' des 19. Jahrhunderts mit der 'nausée' des 20. Jahrhunderts, so scheint

er auf den ersten Blick "Variation des alten Motivs" zu sein. Die Tatsache,

dass beide Romane, die diesen Begriff 'nausée' zum Thema haben - Sartres

<u>La Nausée</u> und Rilkes <u>Malte</u> - Künstlerromane sind, scheint diese Annahme zu

bestätigen.[44] Es wird sich jedoch zeigen, wie sich die künstlerische Problematik

primär aus einer ontologischen Sehensweise ergibt (vgl. Kapitel 4), wenngleich

der gesellschaftliche Aspekt wohl vorhanden, doch nicht ausschlaggebend ist.

Arnold definiert den Ekel als "das Angewidertsein durch alles, was für das

---

40) Werner Vordtriede, <u>Novalis und die französischen Symbolisten</u>, Kohlhammer
   Verlag, Stuttgart 1963, S. 13f.

41) Arnold, a.a.O., S. 162.

42) Vordtriede, a.a.O., S. 13.

43) Alfred de Vigny, <u>Stello</u>, Paris 1882, S. 245.

44) Vgl. Robert Champigny, a.a.O., S. 38 u. Margot Kruse, a.a.O., S. 218.

eflektierende Subjekt nicht von einer Idee, einem Begriff abzuleiten ist"

der als "undurchdringliche Fremdheit von Menschen und Dingen."[45] Genauer

ber ist es die Bedingtheit der Existenz, welche dem reflektierenden Subjekt

um Bewusstsein kommt und ihn mit Ekel erfüllt.

Es wäre hier noch kurz auf die Nachtwachen des Bonaventura hinzuweisen,

o ein ähnlicher Prozess der Existenz-'Entschleierung' betrieben wird. Auch

ls eine Art Tagebuch aufgebaut, stellt sich das Entschleiern des reflektie-

enden Bewusstsein jedoch letztlich als nihilistischer Prozess dar:

Indem der demaskierende Aufklärer Haut um Haut von der 'Zwiebel' des
irklichen, der Erscheinungen abschält, um ins Innerste vorzudringen....
erät er schliesslich nicht an einen reellen Kern, der maskenlose,
chalenlose, bare und lautere Realität wäre, vielmehr gelangt er zum
ichts."[46]

Diese zersetzende Qualität der Reflexion entspricht der Romantik,[47]

ie wahre Wirklichkeit nur hinter den Dingen wähnt - man denke z.B. an das

lasken- und Larven-Motiv in den Nachtwachen: "Nirgendwo zeigen die Dinge

hr wahres Gesicht. Mit Masken und Larven verdecken sie, was sie sind. Die

lasken abzureissen, was dahinter steckt ans Licht zu bringen, ist Haupt-

eschäft des Nachtwächters."[48] Sartre dagegen lässt seinen Tagebuchhelden

eststellen: "Les choses sont ce qu'elles sont... et derrière elles il n'y a

ien."

---

5) Arnold, a.a.O., S. 165f.

6) Brinkmann, Nachtwachen des Bonaventura, Kehrseite der Romantik? Verlag
Günter Neske, Pfullingen 1966, S. 22.

7) Ebd., S. 25: "Genau betrachtet sind die Nachtwachen ein nicht minder
romantisches Buch als der Heinrich von Ofterdingen ( ). Der Weg, das
bsolute zu ergreifen jenseits der irdischen Gestalten, in ihrer Verwandlung,
jenseits des Scheins einer illusorischen Tagwelt, ist hier und dort verschieden.
)er treibende Impuls ist der gleiche."

8) Ebd., S. 12.

Der kurze Überblick von Kierkegaard bis Sartre warf Licht auf einige Hauptthemen des existenzialistischen Lebensgefühls, welches im 20. Jahrhundert in dem Terminus zusammengefasst wird, welchen Sartre prägte: 'nausée'. Indem dieser Terminus die ontologische Situation des Menschen erfasst - und das reflektierende Bewusstsein ein notwendiges Element desselben darstellt - unterscheidet er sich vom 'ennui' des 19. Jahrhunderts, welcher das Gewicht auf die gesellschaftliche Situation des Künstlers lenkte, wenngleich, besonders in der deutschen Romantik (die Nachtwachen des Bonaventura z.B.) das ontologische Element auch schon aufzuweisen ist, mit nihilistischer Tendenz.

Indem Rilkes Zusammenhang mit der existenzialistischen Bewegung nachgegangen wurde zeigte es sich, dass ausser Kierkegaard auch Jacobsen gleichermassen dazubeigetragen hat, die Richtung von Rilkes Gedankengang zu weisen.

K A P I T E L III

Probleme des Tagebuchromans

Von der stolzen Erhebung des Renaissancemenschen, der -- vom Kollektivgefühl es Mittelalters befreit -- seinem Schicksal als Individuum entgegentritt, ist itte des 19. Jahrhunderts wenig übriggeblieben. Individualität ja, Erhebung ein. Im Gegenteil. Vom vitalistischen Auftrumpfen bleibt nur ein schriller chrei der Misere: "we are all divorced from life, we are all cripples, every ne of us." Einsamkeit und Entfremdung von Welt und Leben klingen aus der nonymen Stimme, welche mit diesen Worten seine Notes from Underground beendet.[1] eine Kommunikationslosigkeit und Einsamkeit, symbolisch für die existenzia- istische Auffassung des Da-seins, wird ungefähr hundert Jahre später von der igur des Malers Juan Ernesto Castels in El Túnel vom Argentinier Ernesto Sábato eitgehend aufgenommen. Im Gefängnis, wo er wegen Ermordung seiner Geliebten aria sitzt, wird ihm bewusst, dass es eben diese Kommunikationslosigkeit und

---

) Fedor Dostoevsky, Notes from Underground (1864), translated by Constance Garnett, Dell Publishing Co., Inc., New York 1960, S. 139.

Einsamkeit waren, die er entfliehen und durchbrechen wollte, und die der Grund

zu seiner verzweifelten Tat wurden. Seine Selbstanalyse klingt wie ein Echo

der 'Stimme vom Untergrund':

> "Und es war, als ob wir beide in parallelen Gängen oder Tunneln
> gelebt hätten, ohne zu wissen, dass wir nebeneinander gingen, wie
> verwandte Seelen zu gleichen Zeiten, um uns am Ende dieser Gänge zu
> treffen, vor einer von mir gemalten Szene, als ein nur für sie (Maria)
> bezeichneter Schlüssel, als ein geheimes Zeichen, dass ich schon dort
> war und die Gänge sich endlich vereint hätten und die Stunde des
> Zusammentreffens gekommen sei.
> Die Stunde des Zusammentreffens war gekommen! Aber hatten sich
> die Gänge denn wirklich vereint und unsere Seelen wirklich verbunden?
> Welch alberne Illusion hatte ich gehegt! Nein, die Gänge verliefen
> weiterhin parallel, wie zuvor...[2]

Die Darstellung der Einsamkeit des Einzelnen ist ein immer wieder

auftauchender topos des Existenzialismus: die anonyme Stimme des 'Untergrunds',

die 'parallel verlaufenden Tunnel', die im 'Nebel' verlaufenden Existenzen:

"Und das Leben ist dies, der Nebel. Das Leben ist eine Nebelwand."[3] Und Niels:

"Es war das unsäglich Traurige, dass eine Seele stets allein ist."[4] Malte:

Und man hat niemand und nichts und fährt in der Welt herum." (721) Roquentin:

"Moi je vis seul, entièrement seul. Je ne parle à personne, jamais."(17)

---

2) Meine Übersetzung aus: Ernesto Sábato, El Túnel, los libros del mirasol,
   Buenos Aires 1961, S. 143: "Y era como si los dos hubiéramos estado viviendo
   en pasadizos o tuneles paralelos, sin saber que íbamos el uno al lado del otro,
   como almas semejantes en tiempos semejantes, para encontrarnos al fin de esos
   pasadizos, delante de una escena pintada por mí, como clave destinada a ella
   sola, como un secreto anuncio de que ya estaba yo allí y que los pasadizos se
   habían por fin unido y que la hora del encuentro había llegado.
   La hora del encuentro había llegado! Pero, realmente los pasadizos se habían
   unido y nuestras almas se habían comunicado? Qué estúpida ilusión mía había sido to
   esto! No, los pasadizos seguían paralelos como antes..."

3) Miguel de Unamuno, Niebla (nívola), Espasa-Calpe Argentina S A (1914), 1950,
   S. 30: "Y la vida es esto, la niebla. La vida es una nebulosa."

4) Niels Lyhne, a.a.O., S. 300.

Ob symbolische oder direkte Darstellung, die Struktur dieser Einsamkeit
uss logischerweise in der Form der autobiographischen Erzählung oder des
agebuchs gefasst werden. Betrachtet man eine Liste der Werke, die das
xistenzialistische Lebensgefühl darstellen, so findet man dies bestätigt:
otes from Underground (Aufzeichnungen eines anonymen Ich-Erzählers); Die
ufzeichnungen des Malte Laurids Brigge (Tagebuch, siehe Kapitel 5 dieser
rbeit); La Nausée (Tagebuch); L'Etranger von Camus (Tagebuch); La Chute von
amus (Tagebuch); El Túnel von Sábato (Ich-Erzählung). Niebla von Unamuno
st allerdings von einem allwissenden Er-Erzähler geschrieben, gegen den
ich Kierkegaard und Sartre auflehnen.[5] Wie ist es dann möglich, dass ein
xistenzialistisches Werk trotzdem aus einer allwissenden Perspektive erzählt
st? Durch die Ironie. So stellt sich beispielsweise Niebla als ein Spiel
ar mit der Allwissenheit des Erzählers. Wie die Menschen Marionetten in der
and des "Absoluten", sind auch die Charaktere Marionetten in der Hand des

---

) Edith Kern, a.a.O., S. 56: "The omniscient author can be fitted exceedingly
    well into the Hegelian system of thought. Hegel, as Sartre so acutely
bserved in his Being and Nothingness, could forget the limits of his own
onsciousness and study the relationships between other consciousnesses which,
o him, were but a particular kind of object: a subject-object. 'These
onsciousnesses from the totalitarian point of view which he has adopted
re strictly equivalent to each other although each of them is separated from
he rest by a particular privilege'. ( ) Hegel himself, as Sartre reminds us,
onsidered Others from the point of view of the Absolute. It would seems therefore
hat a writer who, consciously or unconsciously is permeated by Hegelian
hilosophy, could assume an omniscient as well as an objective role. Kierkegaard's
xistential way of thinking, on the other hand, could not abstract itself into the
oint of view of the Absolute. He remained the individual, the "I".

Er-Erzählers.[6] Der Held Augusto Perez besucht gegen Ende der "nívola"[7] den

Verfasser Miguel de Unamuno, um ihn zu bitten, ihn leben zu lassen und

folgende Unterhaltung bahnt sich an:

Unamuno: "Wenn Gott nicht mehr weiss, was er mit uns anfangen soll, tötet er
uns...
Augusto: Also nicht, eh? sagte er mir (Augusto zu Unamuno) - also nicht?
Sie wollen mich nicht "Ich" sein lassen, aus dem Nebel heraus-
kommen lassen, leben, leben, leben, mich sehen, mich hören,
mich anfassen, mich fühlen, mich 'schmerzen', ich sein: Sie
wollen also nicht? So soll ich also als fiktionale Figur
sterben? Gut denn, mein Erschaffer don Miguel, auch Sie werden
sterben, auch Sie, und Sie werden in das Nichts zurückgehen
aus dem Sie gekommen sind... Gott wird aufhören Sie zu erträumen!"[8]

Durch die Parallelisierung der wirklichen Welt mit der Welt der Fiktion

- wo die spielerische Phantasie des Autors praktisch mit Willkür und Zufall

gleichgesetzt wird - gelingt es Unamuno die "allwissende" Erzählerperspektive

zu ironisieren und zu 'brechen'.

---

6) Das Marionettensymbol für die Stellung des Menschen in dieser "verfluchten
   Welt" (Nachtwächter in Bonaventuras Nachtwachen) tritt schon im Werther,
   bei William Lovell und dann mit grosser Intensität in den Nachtwachen auf.
   Im Tollhaus, wo der Nachtwächter zeitweilig ist, spricht ein Irrer, der sich
   für Gott hält: "Was soll ich beginnen? Wahrlich hier steht mein Verstand selbst
   still! Lasse ich die Kreatur sterben und wieder sterben, und verwische jedesmal
   das Fünkchen Erinnerung an sich selbst, dass es von neuem auferstehe und umher-
   wandle? Das wird mir auf die Länge auch langweilig, denn das Possenspiel immer
   und immer wiederholt, muss ermüden! - Am besten ich warte überhaupt mit der
   Entscheidung bis es mir einfällt einen Jüngsten Tag festzusetzen und mir ein
   klügerer Gedanke kommt." (a.a.O., S. 82)
   Als eine Abwandlung des Marionettensymbols ist die Existenz als "Traum" zu verstehen. So wie Augusto in Niebla sich immer wieder fragt, ob er denn wirklich lebe
   oder aber "geträumt" werde, fragt sich auch Kreuzgang in den Nachtwachen: "Wie? steh
   kein Ich im Spiegel wenn ich davortrete - bin ich nur der Gedanke eines Gedankens, de
   Traum eines Traumes...." (a.a.O., S. 92f).

7) nívola=Sprachspiel im Spanischen zwischen 'niebla' (Nebel) und 'novela' (Roman).
   Siehe dazu Serrano-Plaja, La Náusea y Niebla, a.a.O., S. 296.

8) Unamuno: "Dios, cuando no sabe qué hacer de nosotros, nos mata...
   Augusto: Conque no, eh? - me dijo - conque no? No quiere usted dejarme ser yo, s
   de la niebla, vivir, vivir, vivir, verme, oírme, tocarme, sentirme, dolerme, serme:
   conque no lo quiere? conque he de morir ente de ficción? Pues bien, mi señor creador
   Don Miguel, también Ud. se morirá, también Ud., y se volverá a la nada de que salió.
   Dios dejará de soñarle!" (Niebla, a.a.O., S. 158.)

Da sich der Tagebuchroman als bevorzugte Form zur Darstellung existenzia-
\
istischer Bewusstseinsvorgänge zeigte, soll diese Form des Romans näher
definiert werden. In ihrem Kapitel über die "Sonderformen" der Ich-Erzählung
-- zu welchen Käte Hamburger den Brief- und Tagebuchroman zählt, weil sie
sich dichtungslogisch nicht in die drei traditionellen Gattungen einordnen --
zeigt sie die h bride Natur dieser Romantypen. Sie nehmen die Struktur der
Aussage, welche das Lyrische charakterisiert, mit hinein in den Bereich des
Epischen, der Erzählung.[9] Eine Aussage kann demnach 'echt' sein, wie die des
lyrischen Ich im Gedicht, oder sie kann eine 'unechte' Wirklichkeitsaussage
sein, "die gleichbedeutend mit der fingierten Wirklichkeitsaussage ist."
Es sei dieser "Begriff des Fingierten... welcher die Stelle des Dichtungs-
systems, an welchem die Ich-Erzählung ihren logischen Ort hat", bezeichnet.

---

9) Käte Hamburger, Die Logik der Dichtung, 2. stark veränderte Auflage,
   Ernst Klett Verlag, Stuttgart 1968 (1957), S. 246ff. -- Auf Grund ihrer
dichtungslogischen Untersuchungen unterscheidet Käte Hamburger zwischen Ich-
Erzählung und Er-Erzählung. Nur letztere sei echt episch, d.h. existiere nur
auf grund dessen, dass sie erzählt werde: "Die epische Fiktion, das Erzählte
ist nicht das Objekt des Erzählens. Seine Fiktivität, d.i. seine Nicht-
Wirklichkeit bedeutet, dass es nicht unabhängig von dem Erzählten existiert,
sondern bloss ist kraft dessen, dass es erzählt, d.i. ein Produkt des Erzählens
ist. Das Erzählen, so kann man auch sagen, ist eine Funktion durch die das
Erzählte erzeugt, die Erzählfunktion, die der erzählende Dichter handhabt wie
etwa der Maler Farbe und Pinsel. Das heisst, der erzählende Dichter ist kein
Aussagesubjekt, er erzählt nicht von Personen und Dingen, sondern er erzählt
die Personen und Dinge... Zwischen dem Erzählten und dem Erzählen besteht kein
Relations- und das heisst Aussageverhältnis, sondern ein Funktionszusammenhang."
In diesem Sinne reserviert Käte Hamburger den Begriff 'Erzähler' nur für den Ich-
Erzähler. Der Er-Erzähler sei nichts als die "Funktion des Erzählens", das, was
Thomas Mann den 'Geist der Erzählung' (Der Erwählte) nennt. Michel Butor, fran-
zösischer Romancier und Romantheoretiker, vertritt die gleiche Meinung. Auch er
lässt nur den Ich-Erzähler als 'Erzähler; gelten und bezeichnet die Er-Erzählung
einen 'Bericht ohne Erzähler; (Michel Butor, "Der Gebrauch der Personalpronomen
im Roman" in: Repertoire 2, München 1965, S. 97).

Im Tagebuchroman finden sich so einerseits der Begriff des "Fingierten" in
der unechten Wirklichkeitsaussage; andrerseits der Begriff des "Fiktiven",
der Nicht-Wirklichkeit (Illusion, Schein), den das Epische charakterisiert.[10]

Dadurch dass der Tagebuchroman die "dichtungslogisch paradoxe Situation
einer Aussagestruktur im episch-fiktionalen Gebiet" hat, "stellt er diejenige
Form des Ich-Romans dar, die am wenigsten als epische Form anmutet."[11] Es liege
also in der flexiblen Natur des Tagebuchromans, von Anfang an eine Verbindung
zweier sich entgegengesetzter Tendenzen einzugehen, des Lyrischen und des
Epischen, dass es jedoch auf den einzelnen Ich-Erzähler ankomme, welches
Element hervorgehoben werde und der Roman sich somit -- "wie jede echte auto-
biographische Aussage"[12] -- entweder mehr subjektiver oder mehr objektiver
gestalten könne.

Zum Begriff der Aussage gehören jeweils der Subjektpol und der Objektpol,
d.h. es gibt keine Aussage -- ob mitteilende oder lyrische -- eines Subjektes
ohne ein Objekt und vice-versa. Die lyrische Aussage charakterisiert sich
durch die Hereinnahme des Objekts in den Subjektpol. Die Worte wollen keinen
Objekt- oder "Mitteilungszusammenhang" (wie in der mitteilenden Aussage),
"sondern etwas anderes, was wir als Sinnzusammenhang bezeichnen... Dieser Prozess
aber ist es, der das lyrische Kunstgebilde hervorbringt."[13] Die subjektive

---

10) Käte Hamburger, a.a.O., S. 248: "Fiktion ist immer Fiktion und es gibt
keinen Gradunterschied stärkerer oder schwächerer Fiktivität." Der Grad der
Fingiertheit einer Wirklichkeitsaussage dagegen steche ohne weiteres ins Auge.
Demnach sei der Begriff der "fingierten Aussage" der eigentliche Masstab, welcher
die Ich-Erzählung sowohl von Fiktion als auch von Lyrik trenne.

11) Ebd., S. 251.

12) Ebd., S. 247.

13) Ebd., S. 200.

ahrheit und Wirklichkeit oder Erlebnisfeld[14] des aussagenden Ich hat einen

rkenntniswert: Erkenntnis ist Funktion von Bewusstsein. Ein jedes 'Erlebnis'

st in diesem Sinne ein 'intentionaler Bewusstseinsakt' als 'Bewusstsein von

twas'. In der lyrischen Aussage bedeute es aber nicht ein intentionales Aus-

erichtetsein auf das Objekt, wie in der mitteilenden Aussage, sondern es

andele sich um ein intentionales Ausgerichtetsein auf das Erlebnis des

bjekts. Die Anreihung dieser Art Erlebnisse verfolgt keine konsekutive

rogression, wie sie die fiktive Erzählform vollzieht. Im lyrischen Roman

rgibt sich eine qualitative Progression der Erlebnisse: sie durchdringen

nd beziehen sich aufeinander, sie intensivieren eine Erkenntnis: "In lyrical

oetry... events are contained in one another. Consecutiveness is simulated

y lyrical language: its surge toward greater intensity reveals not new

vents but the significance of existing events. Actions are turned into

cenes which embody recognitions."[15] Seine Einsichten in den lyrischen Roman

at Freedman teilweise am <u>Malte</u> herausgearbeitet, den er "an almost purely

yrical novel" bezeichnet.[16]

---

4) Ebd., S. 221. Käte Hamburger verweist hier auf die Doppelbedeutung des Aus-
drucks 'Erlebnis'. Einerseits bezeichne er den historisch bedingten Begriff,
er, "von Diltheys psychologischen Dichtungstheorie herkommend, bekanntlich zur
ezeichnung der mit dem 18. Jh. entstehenden Lyrik des personalen Gefühls und
ichterischen Gefühlsausdrucks dient, als Gegensatz zur... formelhaften Lyrik
orhergehender Epochen." Im Kontrast zu diesem psychologisch und biographisch
erstandenen Begriff 'Erlebnis' jedoch sei er "ein legitimer Begriff der deutsch-
prachigen Erkenntnistheorie, vor allem von Husserl als umfassender Begriff für
lle Bewusstseinsvorgänge (wahrnehmende, vorstellende, erkennende, phantasie-
ende, usw) gebraucht. Er spricht von Bewusstseinserlebnissen und setzt auch
ewusstsein mit Erlebnis gleich und zwar ausdrücklich als ein Terminus, der die
ntentionalität des Bewusstseins, als Bewusstsein von Etwas, zum Ausdruck bringt,
eshalb er sie auch "intentionale Erlebnisse" nennt (Vgl. Edmund Husserl,
ogische Untersuchungen II, 1, Halle 1928, S. 343f: Kap. V: Über intentionale
rlebnisse und ihre Inhalte).

5) Ralph Freedman, <u>The Lyrical Novel</u>, Princeton Univ. Press 1963, S. 8.

6) Ebd., S. 4.

Im Gegensatz zur erkenntnistheoretischen Haltung des Lyrischen charakterisiert sich das Epische durch die Mimesis. Die Welt des Scheins, der Fiktion, erfreut sich in der Nachahmung des Gegebenen, der Konvention. Darstellungsformen der Mimesis fluktuieren[17] zwischen berichtendem und reflektierendem Erzählen, Dialog, Monolog, erlebter und indirekter Rede, alles Formen, die Personen und Dinge in ihrem So-Sein darstellen. Diese Formen der 'Erzählfunktion' -- bzw. des 'Berichts ohne Erzähler' oder des 'Geistes der Erzählung' -- sind ihrer Struktur nach objektiver Natur. Was mehr subjektiver oder mehr objektiver sein kann, sind allein die Personen, die dargestellt werden, und der wirkliche Erzähler, der Ich-Erzähler.

Im Tagebuchroman nun ergibt sich eine dialektische Spannung zwischen der erkenntnistheoretischen Haltung des aussagenden Ich, welches die Welt der Mimesis, der Konvention, die Welt des erzählenden Ichs durchbrechen will, um an seine Stelle das Produkt seines Bewusstseinsaktes zu setzen. Es ist diese anhaltend dialektische Spannung zwischen aussagendem Ich (lyrischer Haltung) und erzählendem Ich (epischer Haltung),[18] welches die Handlung, d.i. Erkenntnisvorgänge und Bewusstseinsentwicklung des Tagebuchs vorwärts treibt. Im Malte sind die Kriterien des realistischen Romans des 19. Jahrhunderts -- Wiederspiegelung der gegebenen Realität -- von der erkenntnistheoretischen Haltung des aussagenden Subjekts ersetzt worden.

---

17) Käte Hamburger, Die Logik der Dichtung, a.a.O., S. 111.

18) Franz Stanzel, Typische Formen des Erzählens, Vandenhoeck & Ruprecht in Göttingen 1964, S. 31: nennt diese Spannung das "Ich-Ich Schema": "In quasi autobiographischen Ich-Romanen, in welchen der Ich-Erzähler den Mittelpunkt der Geschichte bildet, ist es die Spannung zwischen dem erlebenden Ich und dem erzählendem Ich, die das Sinngefüge des Romans bestimmt."

ie episierende Haltung der Weltdarstellung, die in den ersten Pariser
ufzeichnungen enthalten ist, wird -- eingeleitet durch das Thema des
"Sehenlernens" und der dadurch entstehenden "Veränderung" -- von der
ussagenden Haltung ersetzt:

Habe ich schon gesagt, dass er blind war? Nein? Also er war blind,
r war blind und schrie. Ich fälsche, wenn ich das sage, ich unter-
chlage den Wagen, den er schob, ich tue, als hätte ich nicht bemerkt,
ass er Blumenkohl ausrief. Aber ist das wesentlich? Und wenn es
uch wesentlich wäre, kommt es nicht darauf an, was die ganze Sache
ür mich gewesen ist? Ich habe einen alten Mann gesehen, der blind
ar und schrie, Das habe ich gesehen. Gesehen" (749).

   Durch die Methode der phänomenologischen Reduktion, deren Malte
ich hier bedient, wird die Fülle und Buntheit der Welt, welche die epische
rzählung charakterisiert, ausgeschlossen, zugunsten eines zu erkennenden
hänomens: die Misere der Armut und Krankheit, der alte Mann "der blind war
nd schrie". Die ihn umgebenden Bedingungen werden abgestreift, um "das
eiende zu sehen, das unter allem Seienden gilt" (775). Und so entschleiert
alte, unter der Oberfläche der täglichen Wirklichkeit, das Phänomen der
xistenz. Der Prozess der Entschleierung, eingeleitet durch ein intentionales
erichtetsein des Bewusstseins auf die Phänomene selbst, reduziert die
ülle der Wirklichkeit, bis die Essenz der Dinge sich offenbart. Der Be-
usstseinsprozess verlagert sich vom "Sehenlernen" zum "Erkennen". Der junge
äne, welcher sich zu Anfang dazu aufrief, "etwas gegen die Furcht zu tun,
un da er lerne zu sehen" (4., 5. u. 6. Aufz) und sich dann "Fünft Treppen
och hingesetzt hatte und die ganze Nacht geschrieben hatte" (10. u. 14. Aufz)
st gegen Ende jener geworden, welcher "das alles weiss... der Einsame in
einer Nacht (der dies) denkt und einsieht" (68. Aufz, 929). Das Sehenlernen
es 1. Teils hat sich zu "Wissen", "Begreifen" und "Einsehen" im 2. Teil

verwandelt. In der Distanzierung des erlebend-erzählenden Ichs zugunsten seines Erzählgegenstandes, in welchem der Bewusstseinsvorgang der Erkenntnis mit dem Schaffensakt in eins fallen, ist eine Bewegung von einem persönlichen Erzähler-Ich und einer Ich-Perspektive zugunsten einer unpersönlichen, objektiven Perspektive: "the central yet impossible point of literary creation is the movement in which the _Je_ moves to an _Il_, a loss of personal consciousness before a larger impersonal existence."[19]

Die Ent-Ichung des Tagebuch-Ichs, die sich in der erkenntnisträchtigen Darstellung 'intentionaler Erlebnisse' ergibt, entspricht einer Verlagerung der raum-zeitlichen Dimension zugunsten eines 'zeitlosen' Erkenntnisraumes. Aufgrund des Ineinsfallen von Bewusstseins- und Schaffensakt, ergibt sich auch eine Aufhebung des von Stanzel aufgestellten Ich-Ich Schemas, welches den Ich-Roman charakterisiere. Wenn das Verhältnis von erlebendem und erzählendem Ich aufgelöst ist, kann dann noch von einem Tagebuch gesprochen werden? Käte Hamburger zeigte die flexible Natur des Tagebuchromans, wo die fingierte Aussagestruktur sich im epischen Bereich vorfindet, so dass jeweils die lyrische oder die epische Tendenz vorwiegen kann. _Malte_ ist eine extreme Entwicklung dieser lyrischen Aussagestruktur im Tagebuchroman, so dass man Freedman zustimmen muss, der den Malte "an almost purely lyrical novel" bezeichnet. Fülleborn hatte den Malte als zur "Gattung des Prosagedichts" gehörend, eingeordnet. Doch hat die oben aufgezeigte Entwicklung vom 1. zum 2. Teil bewiesen, dass der _Malte_ Roman bleibt, lyrischer Roman. Dass diese

---

19) Sarah N Lawall, _Critics of Consciousness_, The Existential Structure of Literature, Harward University Press, Cambridge, Mass. 1968, S. 242.

twicklung räumlich und nicht chronologisch aufgebaut ist, wie im traditionellen
man, wird im Strukturkapitel (V) ersichtlich werden.

Lyrisch ist die Darstellung von Welt in Form von Bildern, die dem
lden eine Erkenntnis erzeugen, wie im Malte. Episch dagegen die Darstellung
n Welt durch Beschreibung und Dialog, wie in La Nausée oft der Fall. Viele
ssagen dienen dazu, Roquentins Umwelt darzustellen: der bekannte Sonntag-
rgenspaziergang auf der rue Tournebride und nachmittags am Meer entlang;
e kartenspielenden Männer im café (33ff); das Ehepaar beim Mittagsmahl im
fé Vézelize (71ff); die Situation in der Bibliothek zwischem dem Korsen
d dem 'autodidacte' (225ff). Ausser diesen Beschreibungen kommen verschiedene
aloge hinzu zwischen Roquentin und dem 'autodidacte' und Anny. Dialog
d Beschreibungen dienen zur Gegenüberstellung der Bewusstseinslagen
a der Welt, wie Sartre sie sieht: einerseits das 'authentische' Bewusstsein
es Helden (bzw. seine Entwicklung dahin), andererseits das sich-selbst-als-
jekt-setzende der Bürger von Bouville (Schlammstadt). Dies ist auch der
rund, weshalb Sartre diese episierende Struktur nicht aufgibt, weil es
hm durch den Kontrast beider Bewusstseinshaltungen am leichtesten möglich
st, die Entwicklung des Helden darzustellen.

Die am Anfang dieses Kapitels aufgestellte These, dass das Tagebuch
ine notwendige Form zur Darstellung des existenzialistischen Lebensgefühls
st, muss näher beleuchtet werden. Die Erzählsituation im Tagebuchroman
harakterisiert sich durch "die Verkürzung oder Aufhebung der Erzähldistanz."
as Tagebuch-Ich erzählt "seine Erlebnisse, Gedanken, Reflexionen während
s noch ganz unter ihrem Eindruck steht oder sogar im Augenblick des Erlebens."[20]

) Franz Stanzel, a.a.O., S. 38.

Die Art der Reflexionen und Betrachtungen die Roquentin und Malte (nur zu
Anfang) anstellen, können nur in dieser spezifischen Form des Ich-Romans
ausgedrückt werden. Denn es handelt sich um Bewusstseinsvorgänge, die von
keinem andern als dem Erlebenden und Reflektierenden erzählt werden können.
Hinzu kommt, dass die existenzielle Situation beider Helden absolute
Einsamkeit ist, so dass z.B. der Briefroman, als andere Alternative des
Ich-Romans, ausgeschaltet ist. Malte selbst betont die Unmöglichkeit einen
Briefwechsel einzugehen:

"Ich will auch keinen Brief mehr schreiben. Wozu soll ich jemandem
sagen, dass ich mich verändere? Wenn ich mich verändere, bleibe ich
ja doch nicht der, der ich war, und bin ich etwas anderes als bisher,
so ist klar, dass ich keine Bekannten habe. Und an fremde Leute, an
Leute, die mich nicht kennen, kann ich unmöglich schreiben" (711). [21]

Diesem Brief in der 4. Aufzeichnung folgt noch einer in der 22. Aufzeichnung, mit der vom "Herausgeber" erklärenden Fussnote "ein Briefentwurf". Der Adressat ist in beiden Fällen nicht genannt (nur als "du"
vorhanden), so dass dem Brief im Malte nicht die Funktion der Kommunikation
mti einem Aussen, mit einem Gegenüber, aber doch die dem Brief immanente
Funktion einer Überschau der eigenen Verhältnisse, eine gewisse Distanzierung
des Briefsenders gegenüber seiner eigenen Situation, gegeben ist. Roquentin
dagegen empfängt einen Brief, der dann zu einem entscheidenden Gespräch
mit der Briefsenderin führt. Der Brief in diesem Roman verursacht eine
doppelte Distanzierung: Ortswechsel und Dialog.

---

21) Bertil Romberg, Studies in the narrative Technique of the First-Person
Novel, Almquist & Wiksell, Stockholm 1962, S. 49: "In .. the last fifty
years letter-writing... as an art form has come to be on the decline. The
consequence has been that a thoroughly and consistently employed epistolary
method has little chance of heightening the illusion of reality in a novel of
our own time."

Die chronologische Anordnung ist ein andres Charakteristikum des

gebuchromans.[22] Wiederum ist dies Merkmal nur in <u>La Nausée</u> vorzufinden,

Roquentins Eintragungen vom 29. Januar bis zum 26. Februar chronologisch

feinander folgen. Bei Malte ist nur die erste Aufzeichnung datiert. Im

rukturkapitel wird dieses Problem eingehend besprochen.

Die Objektivität und der Wirklichkeitsschein, welche im Briefroman

rch die Multiperspektive verschiedener Korrespondenten entsteht,[23]

ss im Tagebuchroman mit anderen Mitteln erzeugt werden. Der fiktionale

rausgeber dient zu diesem Zweck. Seine Funktion ist die Authentizität

s Tagebuchs als Dokument zu garantieren und das Ich des Tagebuchs vom

tor zu distanzieren.[24] In <u>La Nausée</u> ist dieser fiktionale Rahmen durch

ne kurze Einleitung "der Herausgeber" markiert, die unter Roquentins

pieren dieses Tagebuch "gefunden" haben und - bis auf zwei Fussnoten

r die erste undatierte Aufzeichnung - "ohne Änderungen" herausgegeben

ben. Im <u>Malte</u> ist dieser Authentifizierungsrahmen auch vorhanden, wenn-

eich wesentlich reduzierter. Die (oder der) Herausgeber bekunden ihr

rhandensein durch sparsame Fussnoten:"[*]Im Manuskript an den Rand geschrieben".

r Inhalt der mit Sternchen versehenen Parenthesen ist in Form von Sentenzen

---

2) Kurt Forstreuter, <u>Die Deutsche Ich-Erzählung</u>, Eine Studie zu ihrer Geschichte
und Technik, Berlin 1924, S. 99: "Der Erzähler gibt seine Eindrücke in der
ihenfolge wieder, in der er sie... empfangen hat. Im Tagebuch- und Briefroman
gibt sich diese Anordnung von selbst. Da der Erzähler immer nur das wiedergibt,
s er unmittelbar vorher erlebt hat."

3) Stanzel, a.a.O., S. 39.

4) Romberg, a.a.O., S. 70.

zusammengefasst.[25] Zum Thema Liebe: ("Geliebtsein heisst aufbrennen. Lieben ist: Leuchten mit unerschöpflichem Öle. Geliebtwerden ist vergehen, Lieben ist dauern.") (937) Über die "Kraft der Verwandlung": ("Das ist schliesslich die Kraft aller jungen Leute, die fortgegangen sind.") (882) Die begriffliche Aussage intensiviert das grundlegende Thema, welches in der Legende zusammengefasst ist, aber auch schon im 1. Teil durch Malte selbst, im 2. Teil durch die "jungen Mädchen" dargestellt wird: "Das Fortgehen" -- das Motiv der Reise, welches Distanzierung vom Bekannten, von unkritisch übernommenen Konzepten bedeutet -- öffnet dem Einzelnen die Möglichkeit, sich von der Masse zu entfernen, von der Anonymität und dem Clichée zum eigenen Kern, zur eigenen Identität zu gelangen. Dies gilt sowohl für das Individuum als auch für den Künstler. Die Funktion der Herausgeber, so minimal sie anscheinend ist, stellt sich jedoch als durchaus wichtig heraus. Ihre Fussnoten stellen die Sentenzen der Parenthesen besonders heraus, die sonst eventuell im Text untergehen würden. Kierkegaard, der die Technik des fiktiven Herausgebers "den alten Trick des Romanciers" bezeichnete, erkannte in solch einer 'Mystifizierung' "a certain inward infinity which seeks to emancipate one's work from every finite relation to oneself."[26]

Die Charakteristik des Tagebuches, in "medias res"[27] zu beginnen, ist eine vorzügliche Technik zur Darstellung einer Krise, welches oft den Inhalt

---

25) Eberhard Lämmert, Bauformen des Erzählens, J.B. Metzlersche Verlagsbuchhandlu Stuttgart 1955, S. 89: "Unter den zeitlosen Erzählweisen weist die Sentenz di stärkste Raffung auf. Ein spezielles Wertgefüge bzw. Thema wird hier aus allem umgebenden Geschehen ausgewählt und auf die rein abstrakte mithin zeitlose Aussage hin gerafft... Hier ergibt sich der merkwürdige Gegensatz, dass häufig die rein geistigen Höhen eines Werkes in diesen Sentenzen zu suchen sind."

26) Soeren Kierkegaard, The Concept of Irony, transl. by Lee M Chapel, New York, Harper & Row 1965, S. 269.

27) Forstreuter, a.a.O., S. 97.

nes Tagebuches ausmacht.[28] Die Form des Tagebuches erweist sich dadurch
s notwendig, dass sich die Krise im Bewusstsein des Ichs abspielt und so
n keinem andern als diesem Ich dargestellt werden kann:

o, also hierher kommen die Leute um zu leben, ich würde eher
einen, es stürbe sich hier. Ich bin ausgewesen. Ich habe gesehen:
spitäler. Ich habe einen Menschen gesehen, welcher schwankte und
nsank.... Es roch... nach Jodoform, nach dem Fett von pommes frites,
ich Angst.... Das Kind... atmete Jodoform, pommes frites, Angst." (1, 709)

e mieux serait d'écrire les evènements au jour le jour. Tenir un
urnal pour y voir clair... Il faut déterminer exactement l'étendue
t la nature de ce changement." (Erste undatierte Aufzeichnung in
 Nausée, S. 9)

Das Paradox 'Leben-Sterben', welches sich im Malte als unheimliche
ichotomie zwischen dem was die Wirklichkeit ist und dem Bewusstsein des
chs abzeichnet, lässt den Leser eine Konfrontation, bzw. Krise zwischen
iesem Ich und seiner Aussenwelt vermuten. In La Nausée wird dieses noch
eutlicher gemacht, indem der Leser durch die Insistenz von "il faut voir
lair" auf die kritische Veränderung aufmerksam gemacht wird.

Es wurde in diesem Kapitel dargelegt, dass der Tagebuchroman zur
arstellung von Krisen besonders gut geeignet ist, wenn diese Krisen nicht
n äusseren Bedingungen abhängig sind, sondern sich im Bewusstsein des Tagebuch-
chs abspielen. Die genaue Natur dieser Krise wird im 4. Kapitel untersucht
erden. Hier genügte es, darauf hinzuweisen, dass es sich in beiden behandelten
erken um eine solche Krise handelt, hervorgerufen durch das veränderte Bewusst-
ein beider Helden. Durch Käte Hamburgers Einsichten in die flexible Natur des

---

8) Romberg, a.a.O., S. 44f: "It is in the nature of the diary novel that it
   usually spans over a limited period of time during critical phases of the
   arrator's life."

Tagebuchromans konnte dargelegt werden, dass nicht nur <u>La Nausée</u> - dessen
Struktur ja offensichtlich traditionell episch ist -- sondern auch der
<u>Malte Laurids Brigge</u> als Tagebuchroman verstanden werden muss, als Tagebuch-
roman mit lyrischer Tendenz.

KAPITEL IV

Zur Problematik des Künstlers im Malte Laurids Brigge und in La Nausée

Erst in den letzten Jahren hat die Kritik diese Romane als Künstler -
omane verstanden. Gleichzeitig wird eine Entwicklung derselben betont, die
ich beim Malte von einer "inneren Entwicklung"[1] des Helden zu einer künst-
erischen und formalen Entwicklung der 'Aufzeichnungen' bewegt. Hoffmann
eilt den Malte demzufolge in drei Hauptteile ein, "die sich sowohl stofflich
ls auch strukturell und gehaltlich voneinander unterscheiden." Das erste
rittel (1-26) wird von Hoffmann aufgrund des Mangels an künstlerischer
mgestaltung ausgeklammert. Von den subjektiven Aufzeichnungen des ersten
eils gelinge Malte im zweiten (27-48) und dritten Teil (49-71) ein objektives

---

) Vgl. besonders A. Nivelle, a.a.O., S. 26-27: Er sieht Maltes innere
Entwicklung in seiner religiösen Wendung zu Gott, in den "idées salvatrices
e l'amor fati, de l'amor sui, et de l'amor Dei.... seul Dieu sera temoin
e ses actes, il accepte intérieurement sa situation sociale, son bannissement
u monde."

Darstellen: "Was mit dem Zurücktreten der anfänglich vorgestellten Roman-
figur Malte an Gewicht gewinnt und ins Zentrum des Interesses rückt, sind
nun die Schriften Maltes... Es verschiebt sich also das Anliegen des Buches
von der Darstellung des Künstlers zu der seiner Kunst."[2]

Die Vorstellung einer Entwicklung vom Subjektiven zum Objektiven
greift auch Ziolkowski auf. Analog zur Theorie Stephen Dedalus' in Joyce's
Portrait of the Artist as a Young Man, der die Entstehung des Epischen aus
dem Lyrischen begreift,[3] sei auch im Malte diese Progression zu beobachten,
so dass er seine subjektiven Eindrücke am Ende objektiv darstellen lernt.

Judith Ryan dagegen begreift die Entwicklung als "Sehenlernen, Erinnern
und Versuch zu Erzählen", drei Tendenzen, die sich ständig überschneiden,
insofern sie alle durch das "Motiv der Einbildung geprägt sind, als Aspekte
des Malte vorschwebenden Schaffensprozesses."[4] Es stellt sich im Laufe
ihrer Arbeit heraus, dass das Motiv der Phantasie und Einbildung als
"hypothetisches Erzählen" begriffen wird, welches sich in Vermutungen
über die äussere Welt ergehe: "Das Erzählen kann keine zeitlose Ganzheit
heraufbeschwören, wie das zur Zeit des Grossvaters noch der Fall war, sondern
es kann nur indirekt, auf dem Wege der Hypothese erzählt werden."[5] Die
fortschreitende Entwicklung sei also nicht vom subjektiven zum objektiven
Erzählen zu sehen, denn Maltes Erzählversuch "scheitere" indem die "ver-

---

2) E.F. Hoffmann, a.a.O., S. 213.

3) Th. Ziolkowski, a.a.O., S. 32.

4) J. Ryan, a.a.O., S. 346.

5) Ebd., S. 361.

chiedenen Aspekte seiner Entwicklung: Sehenlernen, Erinnern und Erzählen

einen subjektiven Vorstellungen verhaftet (bleiben)."[6]

Von Hoffmann und Ziolkowskis Arbeiten ausgehend werde ich zeigen,

ass die Entfaltung des Schaffensprozesses als Resultat einer sich ent-

altenden neuen Ästhetik verstanden werden muss, die im engsten Zusammen-

ang mit einer Bewusstseinsveränderung gesehen werden muss, welche im

ich lerne sehen' thematisch wird.

Die Künstlerthematik wird in La Nausée vom Champigny, Kruse und Kern

eleuchtet. Margot Kruse sieht Roquentins Künstlertum sich ins Negative

enden, da er aufgrund seiner 'nausée' nicht produktiv zu werden vermöge.[7]

hampigny sieht die Entwicklung von einer 'Moral des Seins' zu einer 'Moral

es Tuns',[8] wo Roquentin statt ein Kunstwerk sein zu wollen - wie er es

n seinen 'Abenteuern' versucht - nun eins machen will: er will einen

oman schreiben. Wie Champigny und Kruse stellt auch Kern Roquentins

instlertum als feste Tatsache hin, indem sie von Anfang an seine schrift-

tellerische Tätigkeit als eine existenzielle Notwendigkeit bezeichnet.[9]

Gegenüber diesen Arbeiten werde ich zeigen, dass Roquentin eigentlich

rst gegen Ende seines Tagebuches zu einer schriftstellerischen Tätigkeit

urchdringt, aufgrund der verschiedenen Einsichten, welche er im Laufe

---

) Ebd., S. 374.

) Kruse, a.a.O., S. 223.

) Champigny, a.a.O., S. 44.

) Kern, Existential Thought and Fictional Technique, a.a.O., S. 87.

des Tagebuches in seinen Reflexionen zwischen den Bereichen der Kunst und der
Existenz gewinnt. Parallel zu Malte ist auch bei Roquentin diese Wendung
zur Kunst abhängig von einer neuen Bewusstseinsentfaltung.

In seinen Reflexionen über Kunst und Existenz schreibt Schiller in
den Briefen "Über die ästhetische Erziehung des Menschen": "Der Mensch,
vorgestellt in seiner Vollendung, wäre... die beharrliche Einheit, die in
den Fluten der Veränderung ewig dieselbe bleibt."[10] Für die Entwicklung
des 'vollkommenen' Menschen (nur in der Kunst erreichbar, Schiller im selben
Brief), hatte Schiller ein Schema aufgestellt, dessen höchste Spitze die
"ästhetische Freiheit" ist, die nur im "Spiel"[11] erreicht werden kann.
Um dahin zu gelangen, muss der Mensch die zwei sich widersprechenden Tendenzen
seiner Natur in Gleichgewicht halten: seine sensuelle Natur oder Sinne
(Stofftrieb) und seine vernünftige Natur oder Bewusstsein (Formtrieb). Im
Stofftrieb empfindet er nur die "Fluten der Veränderung" (Zustand). Im
Formtrieb strebe der Mensch "bei allem Wechsel des Zustands seine beharrliche
Einheit" (Person) zu behaupten. Im "Spiel" gelinge es ihm, sich von beiden
Trieben zu befreien, indem er sie beide in Spannung halte. Das Mittel dazu

---

10) Friedrich Schiller, "Über die ästhetische Erziehung des Menschen" (1795),
dtv Gesamtausgabe 19, Theoretische Schriften III, 12. Brief, S. 35.

11) Irmgard Kowatzki, Der Begriff des Spiels als ästhetisches Phänomen von
Schiller bis Sartre, Ph.D. Dissertation Stanford University 1969 (als
Buch erschienen in Stanford German Series, Vlg H. Lang, Bern 1973). Die Autorin
untersucht, welche Abwandlungen dieser Begriff im Laufe der Jahrhunderte erfahren
hat, und weist darauf hin, dass der ethisch-moralische Zweck des Spiels nur bei
Schiller vorhanden sei: "Für Schiller sollte der Dichter noch Erzieher des
Menschen zu seiner Seinstotalität werden" (276). Schon seit Heine führe der
Entwicklungsprozess der Theorie des Spiels "zu einer absoluten Trennung
vom Ethischen und Ästhetischen" (272).

ei die Kunst. Im Anschauen oder Schaffen von Kunstwerken sei es dem Menschen
egönnt, die zwei widersprüchlichen Triebe in Spannung zu halten, wodurch
in Gefühl der Freiheit entstehe. Nur auf dem Gebiet des "schönen Scheins"
ei diese Freiheit absolut. Schiller nennt sie die ästhetische Freiheit.
ur in dieser Freiheit kann der Mensch "spielen".

Für meine Interpretation konzentriere ich mich - unter Auslassung des
oralisch-erzieherischen Aspekts - auf die ästhetischen Implikationen der
Briefe".

Im folgenden wird sich zeigen, inwiefern die Entwicklung beider Romane
em Schillerschen Schema entspricht. Die drei Entwicklungsstufen sind sowohl
m Malte[12] als auch in La Nausée vorhanden. Von dem rein sinnlichen Erfahren
Perzeption) der Welt, geht das Tagebuch über zur Reflexion (Apperzeption).
n der 'Abscheidung von Dingwelt und seiner Wiederspiegelung im Bewusstsein'
elingt beiden Helden (bei Roquentin wird es am Ende seines Tagebuches
ngedeutet) die Wandlung von der Versklavung durchs Objekt zur Beherrschung
esselben; letztlich erreichen beide die innere Freiheit durch Schöpfung
ines Kunstdinges.

Die drei Entwicklungsstufen decken sich mit der Entfaltung des
chaffensprozesses. Für beide Romanhelden bedeutet die ästhetische Lösung
icht Flucht vor der Existenz sondern notwendige Lösung ihrer Problematik:
hre einzige existenzielle Möglichkeit ist, nicht das Absurde in Sinn zu
verwandeln, sondern durch künstlerisches Schaffen Sinn zu erzeugen.

---

2) Ziolkowski, a.a.O., S. 15 weist auf eine zeitliche Dreiteilung hin:
Gegenwart, persönliche Vergangenheit, geschichtliche Vergangenheit.

Beide Romane können in diesem Sinne als 'Entwicklungsromane' bezeichnet werden: 'Entwicklungsromane der ästhetischen Dimension'. Die ästhetische Dimension ist abhängig von einer neuen Bewusstseinshaltung dem Da-sein gegenüber. Beide Romane widmen ihr gleich zu Anfang viele Passagen. Im Malte wie in Nausée erhält das 'Sehen' ("j'ai vu") die Funktion von Er - kenntnis. Beide Romane spiegeln die Entwicklung von einem Zustand in einen anderen, vom Erlebniszustand zum künstlerischen Schaffen. Schiller sagte über den Künstler: " ... in dumpfer Beschränkung irrt er durch das ... Leben, bis ... die Reflexion ihn selbst von den Dingen scheidet, und im Widerscheine des Bewusstseins sich endlich die Gegenstände zeigen."[13] Im schöpferischen Akt empfindet der Künstler Freiheit von der Dingwelt. Für sein Bewusstsein steht "die Zeit still und aus den unendlichen Möglich- keiten", die sich seinem Geist (Einbildungskraft) eröffnen, kann er ein harmonisches Ganzes formen, welches "Grund und Bedingung seines eigenen Seins" ist:

"The genesis or 'starting point' functions on two levels: in the mind and in art. In the mind it attempts to create a lasting experience; in art it moves from a similarly shapeless, momentary feeling to its expression in tangible, durable form. The point at which artistic creation begins is also the starting point of self-recognition in time."[14]

In beiden Romanen wird der Schaffensprozess praktisch erarbeitet: die Form des Tagebuches, welche beide gemein haben, verquickt die existen- zielle mit der künstlerischen Problematik. In der qualvollen sechsjährigen Arbeit am Malte hat Rilke die künstlerischen und existenziellen Implikationen seiner Kunsttheorie dargestellt. In diesem Sinne lässt sich Rilkes Ausspruch

---

13) Schiller, a.a.O., S. 75, 24. Brief.

14) Lawall, a.a.O., S. 112.

erstehen, wenn er vom Malte als einer "hohen Wasserscheide seines Daseins
nd seines Schaffens"[15] spricht.

La Nausée ist auch für Sartre ein Konfrontierungsort zwischen Kunst
nd Existenz. In der Existenz ist der Mensch immer von der Dingwelt bedroht,
enn die Dinge besitzen selbstgenügsames Sein. Das menschliche Sein aber
harakterisiert sich durch ein Bewusstsein, welches immer auf etwas ausser-
alb seiner selbst gerichtet ist, so dass es dem Menschen an dem in-sich-
uhenden, abgerundeten Sein der Dinge mangelt. Andererseits konstituiert das
ewusstsein aber auch die menschliche Freiheit. Sie ist jedoch immer durch
as Bestreben des Menschen bedroht, sich das objektive Sein der Dinge
nzueignen; hierdurch verliert er seine Freiheit an die Dinge; er will
ie besitzen oder manipulieren. Vollkommne Freiheit geniesst der Mensch
ur in einer Aktivität: im Spiel.[16] In der zweckfreien Natur des Spiels
mpfindet der Mensch seine Freiheit, denn Spiel "nimmt dem Wirklichen
ie Wirklichkeit":

Was ist das Spiel anders als eine Aktivität, deren Ursprung der
ensch selber ist, deren Grundsätze er selber festlegt und die
ur Folgen gemäss der angenommenen Grundsätze haben kann? Sobald
er Mensch sich selbst als frei erfasst und seine Freiheit
ebrauchen will, so wird, welche Angst ihn auch sonst bedrückt,
eine Tätigkeit zum Spiel: er ist in der Tat dessen Grundprinzip,
ier entgeht er der natura naturata, bestimmt selbst die Regel
eines Handelns."[17]

Vergleicht man die Zitate aus Schillers "Briefen" mit diesem
artres, so überrascht die Ähnlichkeit der Konzepte, der Termini. Das Spiel

---

5) Rilke, Briefe 1907-1914, S. 147.

6) Irmgard Kowatzki weist darauf hin, dass Sartre in diesem Zusammenhang
   dieselbe Unterscheidung zwischen Zweckdenken und Spiel macht, die bei
   Schiller zu finden ist (a.a.O., S. 279).

7) Sartre, Das Sein und das Nichts, Hamburg: Rowohlt Verlag 1962, S. 730.

sei eine "Aktivität, deren Ursprung der Mensch selber ist" und sobald sich

der Mensch als frei erfasst..."wird seine Tätigkeit zum Spiel". Im Schillerschen

Sinne bedeutet dies, dass in der Freisetzung aller seiner Möglichkeiten

(Sinne, Bewusstsein und Einbildungskraft) sich der künstlerische Schaffens-

prozess erschliesst.[18]

Wie Käte Hamburger in "Die phänomenologische Dichtung Rilkes" zeigt,

haben die Verben 'schauen' und 'sehen' bei Rilke die Bedeutung von 'erkennen'.[19]

Erkenntnis ist Funktion von Bewusstsein. Was sich hier in diesen Romanen

zeigt, ist ein neues Bewusstsein, dessen neue Erkenntnisse das alte Bewusst-

sein mit seinen gewohnten Konzepten modifiziert, verändert. Gleich die

erste Aufzeichnung ist eine Serie von 'Seh-Akten': "Ich habe gesehen: Hospi-

täler... eine schwangere Frau.... ein Mann der tot umfiel..." etc. Gleich

darauf heisst es wieder: "Ich lerne sehen" (4, 710) und in der folgenden:

"Habe ich es schon gesagt: Ich lerne sehen" (5, 711). Dabei stellt Malte

fest, dass dies neue 'Sehen' sich in zweifacher Richtung bewegt; nicht

nur sind die Dinge anders, sondern auch sein Ich: "sie (die Dinge) gehen

tiefer und bleiben nicht dort liegen wo es sont immer zu Ende war" (4, 710).

Das 'neue Sehen' modifiziert die Relation Subjektpol/Objektpol. Die tradi-

---

18) Irmgard Kowatzki, a.a.O., S. 278 kommentiert, Sartre verstehe in
    Das Sein und das Nichts "Spiel nicht als Schaffensprozess". In La Nausée
ist zwar nie direkt von "Spiel" die Rede, doch entspricht dort der im
Mittelpunkt stehende Schaffensprozess diesem Zitat, bzw. der in ihm angeführten Eigenschaften: Zweckdenken und Spiel, Existenz und Kunst werden
jeweils in der Gegenüberstellung zwischen der bourgeoisie von Bouville und
Roquentin dargestellt.

19) Käte Hamburger, "Die phänomenologische Dichtung Rilkes", a.a.O., S. 87.

ionellen erkenntnistheoretischen Kategorien werden aufgegeben, nicht ohne

u erkennen, welche Gefahr eine solche Position für das Individuum birgt:

"Wenn meine Furcht nicht so gross wäre, so würde ich mich damit
trösten, dass es nicht unmöglich ist, alles anders zu sehen und
noch zu leben. Aber ich fürchte mich, ich fürchte mich namenlos
vor dieser Veränderung. Ich bin ja noch gar nicht in dieser Welt
eingewöhnt gewesen, die mir gut scheint" (18, 755).

Das Thema der Veränderung ("wozu soll ich jemanden sagen, dass ich
mich verändere" - 11, 710) geht also Hand in Hand mit dem neuen Sehen:
Erkenntnis verändert. Veränderung ist zuerst mit Furcht verbunden. Die
Furcht vor dem Unbekannten. Maltes gegenwärtige gesellschaftliche Umstände
begünstigen und fördern diese Veränderung. Er ist in Paris neu und unbekannt,
lebt in einer schäbigen Bude; seine Einsamkeit ist unbegrenzt: "Und man
hat niemand und nichts und fährt in der Welt herum" (10, 721):

"Under certain social conditions a man may undergo so many or such
critical experiences for which conventional explanations seem
inadequate, that he begins to question large segments of the
explanatory terminology that has been taught him... a man cannot
question his own basic terminology without questioning his own
purposes. If in large measure he rejects the explanations he once
believed, then he has been alienated and has lost a world. He
has been 'spiritually dispossessed'. If he embraces a set of
counter-explanations or invents a set of his own, then he has
regained the world, for the world is not merely 'out there' but
is also what he makes of it."[20]

Malte prophezeit seine eigene Entwicklung: "Die Zeit der anderen
Auslegung wird anbrechen, und es wird kein Wort auf dem anderen bleiben,
und jeder Sinn wird wie Wolken sich auflösen und wie Wasser niedergehen.
Bei aller Furcht bin ich schliesslich doch wie einer, der vor etwas Grossem
steht, und ich erinnere mich, dass es früher oft ähnlich in mir war,
eh ich zu schreiben begann" (18, 756).

---

20) Anselm Strauss, Mirrors and Masks, The Search for Identity, Glencoe 1959,38.

Antoine Roquentin in <u>La Nausée</u> befindet sich in ganz ähnlicher Lage.
Obgleich er schon seit drei Jahren in Bouville wohnt, verläuft sein Leben
doch absolut einsam: "je vis seul, entièrement seul. Je ne parle à personne,
jamais" (17). Seine einsame Arbeit in der Bibliothek -- er schreibt eine
historische Biographie über den Marquis de Rollebon, dessen Archive sich
in der Bibliothek zu Bouville befinden -- fördert keinen menschlichen
Kontakt. Eines Tages bemerkt er eine Veränderung: wie Malte ist er nicht
sicher, ob sie sich auf ihn oder auf die Dinge bezieht: "Il s'est produit
un changement, pendant ces dernières semaines. Mais où?... Est-ce moi
qui ai changé? Si ce n'est pas moi, alors c'est cette chambre, cette ville,
cette nature, il faut choisir" (14). Jedenfalls empfindet er Angst: "Enfin
il est certain que j'ai eu peur... Si je savais seulement de quoi j'ai
eu peur." Um seiner Krise auf den Grund zu gehen, beginnt er ein Tagebuch
zu schreiben. Er beginnt über sein Leben zu reflektieren und fühlt, dass
sich eine grosse Veränderung anbahnt: "Si je ne me trompe pas, si tous
les signes qui s'amassent sont précurseurs d'un nouveau bouleversement
de ma vie, eh bien, j'ai peur... j'ai peur de ce qui va naître, s'emparer
de moi - et m'entrainer où? (15). Roquentin bemerkt, dass seine Angst einer
neuen Perspektive entspringt, die irgendwie mit seiner Einsamkeit zusammen-
hängt, und dass die 'Wahrscheinlichkeit' mit dem 'normalen Bewusstsein'
von Realität und menschlichen Kontakt verschwindet: "Quand on vit seul on
ne sait même plus ce que c'est que raconter: le vraisemblable disparaît en
même temps que les amis" (18). "Vraisemblable" bedeutet hier soviel wie
Maltes "Welt der gewohnten Bedeutungen, die (ihm) gut scheinen." Aber so
wie Malte Furcht hat vor der Veränderung, welcher er dadurch ausgesetzt
wird, dass er langsam aus der Welt der gewohnten Bedeutungen herausgleitet,
so gleitet auch Roquentin "doucement au fond ... vers la peur" (19). In

iner ersten Bewusstwerdung einer sich anbahnenden Veränderung bemerkt
oquentin: "pour la première fois cela m'ennuie d'être seul ... je voudrais
u'Anny soit là" (29). Sehnsucht nach dem 'Gewohnten' und Bekannten überkommt
hn. Die Verschiebung seiner Bewusstseinshaltung führt Roquentin vom
Versinken' des Bewusstseins in die Dingwelt ("La plupart du temps, faute
e s'attacher à des mots, mes pensées restent des brouillards" - 17) zu
inem 'reflektierten' Bewusstsein. Anstatt die Dinge zu sehen, fassen oder
J hören wird die kritische Aufmerksamkeit zu den Phänomenen selbst --
es Sehens, Hörens, Fassens der Objekte -- gewendet. Das Erlebnis wird
Jr Erkenntnis.

Stadien dieser Entwicklung von Perzeption zu Apperzeption sind dargestellt
1 verschiedenen Objekten (Kmer-Statuette, Kieselstein, Bierglas, lila Hosen-
räger, Kastanienbaumwurzel). Champigny bezeichnet diese Stadien als "so
any stages on a mystic's way... The mystic resists the call of the sacred.
at he is finally possessed by grace and, surrendering himself, he reaches
llumination. Similarly, Roquentin is possessed by nausea; he tries to
esist it until, surrendering himself at last, he reaches illumination."[21]
ach Edith Kern spricht von mystischer Erleuchtung: "truth comes to him not
hrough reasoning but rather by revelation ... the experience is ... almost
rstic."[22] Beide Kritiker machen darauf aufmerksam, dass La Nausée von der
asserlschen Phänomenologie beeinflusst wurde,[23] deren Ausgangsposition das

) Champigny, a.a.O., S. 31.

) Edith Kern, Existential Thought and Fictional Technique, a.a.O., S. 91.

) Ebd., S. 87. ----- Champigny, a.a.O., S. 30.

'intentionale Bewusstsein' -- d.h. 'Bewusstsein von Etwas'[24] -- ist. Die

Intuition, von der Husserl spricht, ist aber nicht als Identifikation mit

dem Objekt -- nämlich das mystische Gefühl der Alleinigkeit, wie Champigny

und Kern argumentieren -- zu verstehen; vielmehr "Intuitive knowledge has no

traffic with mystical insight. The 'filling out' of a previously empty

consciousness, of an object represents a logically distinct kind of

consciousness, not some flow of feeling."[25]

Dieses gilt es festzuhalten: dass im Malte und Nausée der Begriff des

"Schauens" niemals "die Bedeutung der 'inneren Schau', der Intuition in

einem mystischen Sinn hat, sondern immer das Wahrnehmen der äusseren Welt

meint."[26]

Die Angst, welche beide Helden zu Beginn ihrer Tagebücher empfinden,

---

24) In La Nausée notiert Roquentin: "J'etais la racine de marronnier. Ou
plutot j'étais tout entier conscience de son existence" (185). Was
Roquentin hier erlebt ist "the uncovering of the functioning of 'functioning
intentionality'," denn "in 'natural life' we always experience being exclusively,
never ourselves as the ego that functions in its possessing of the world. The
functioning of the functioning intentionality is such that provisionally and
usually it is concealed ... what was self-evident to the natural attitude
now becomes problematic that is, questionable." (Gerd Brand, "Intentionality,
Reduction in Husserl's later Manuscripts" in: Husserl's Phenomenology, ed.
J. Kockelmans, Doubleday & Anchor, New York 1967, S. 200.

25) Ebd., S. 325. --
Bemerkenswert ist, dass beide Autoren, Rilke und Sartre, mit dem
Husserlschen Denken in Zusammenhang gebracht werden. Vgl. Käte Hamburger,
"Die phenomenologische Dichtung Rilkes", a.a.O., S. 83-158.

26) Käte Hamburger, ebd., S. 87 und 119: "Was die Äusserung Rilkes 'Ich
liebe das Einsehen' (Brief vom 17.2.14) und die Haltung seines Malte
betrifft, so ist festzuhalten, dass auch diese sich in den Gegenstand
hineinversetzende Einsehn und Einbilden ein Erkenntnisakt intentionaler
Struktur ist."

ird in Schillers 24. und 25. Brief beschrieben:

(a) "Nur wo die Masse schwer und gestaltlos herrscht und zwischen
nsichern Grenzen die trüben Umrisse wanken, hat die Furcht ihren
itz; (b) jedem Schrecknis der Natur ist der Mensch überlegen, sobald
r ihm Form zu geben und es in sein Objekt zu verwandeln weiss...
c) mit edler Freiheit richtet er sich auf gegen seine Götter. Sie
erfen die Gespensterlarven ab, womit sie seine Kindheit geängstigt
atten, und überraschen ihn mit seinem eigenen Bild, indem sie seine
orstellung werden."[27]

Meine Dreiteilung des Zitats (a-b-c) entspricht den Entwicklungsstufen
eider Helden. Durch ein reflektives Bewusstsein herausgerissen aus der
lltäglichen Lethargie, sehen sie plötzlich die Welt mit neuen Augen. Die
nreflektiv angenommenen abstrakten Kategorien des täglichen Lebens wirken
ie ein Schleier vor dem Sein, welches nun neu aufgedeckt wird. Der Schwindel
nd die Angst, die beide Helden empfinden, erfüllen die Funktion des
atalysators: durch sie wird "the veil which habit, conceptual schemes,
nd the indolent complacency of man forever spread over the true nature
f existence"[28] zerrissen. Sie entdecken "das Sein, was unter allem
eienden gilt" (Malte). Zuerst aber ist der Einzelne diesem "de trop" des
eins (Roquentin) und der fragmentierten Welt (Malte) nicht gewachsen. Die
ein beschreibende, registrierende Methode ihrer neuen Sehweise verschlimmert
r ihre Krise. Erst in der künstlerischen Umgestaltung ändert sich ihre
age: "jedem Schrecknis der Natur ist der Mensch überlegen, sobald er ihm
orm zu geben und es in sein Objekt zu verwandeln weiss." Dies ist nicht
r die Einsicht, zu welcher beide Helden gelangen -- der moderne Intellektuelle
der Künstler ist ein besonders passendes Subjekt für diese Art

---

) Schiller, a.a.O., S. 80.

) Kern, a.a.O., S. 92.

Einsichten[29] --, sondern sie handeln auch danach: das Tagebuch selbst ist die
Form.

Am 30. Januar - dem zweiten Tag seiner datierten Tagebucheintragungen -
erzählt Roquentin von seinem Vergnügen Dinge anzufassen: "J'aime beaucoup
ramasser les marrons, les vieilles loques, surtout les papiers. Il m'est
agréable de les prendre, de fermer ma main sur eux; pour un peu je les
porterais à ma bouche, comme font les enfants" (21). Dieses Vergnügen
jedoch wird gebrochen. An jenem Tage konnte er plötzlich ein schmutziges
Stück Papier, welches in einer Pfütze liegengeblieben war, nicht mehr auf-
heben. Er wundert sich warum und empfindet plötzlich Angst vor den Dingen.
Auch erinnert er sich zu diesem Zeitpunkt wieder des Kieselsteins, welchen
er nicht ins Meer werfen konnte und plötzlich hatte fallen lassen müssen.
Eine neue Bewusstseinshaltung hat sein Verhältnis zu den Dingen verändert,
da er bemerkt, dass ihr Sein andrer Natur ist als seins. Im Roman ist dies
dargestellt als Übergang vom Tastsinn zum Sehsinn, von dem Schiller sagt:

"In dem Auge und dem Ohr ist die andringende Materie schon hinweg-
gewälzt von den Sinnen, und das Objekt entfernt sich von uns, das
wir in den tierischen (kindlichen) Sinnen unmittelbar berühren.
Was wir durch das Auge sehen, ist von dem verschieden, was wir
empfinden; denn der Verstand springt über das Licht hinaus zu den
Gegenständen. Der Gegenstand des Takts ist eine Gewalt, die wir
erleiden; der Gegenstand des Auges und des Ohrs ist eine Form,
die wir erzeugen ... Sobald er anfängt, mit dem Auge zu geniessen,
und das Sehen für ihn einen selbständigen Wert erlangt, so ist er
auch schon ästhetisch frei, und der Spieltrieb hat sich entfaltet."[30]

---

29) Vgl. Victor Brombert, The Intellectual Hero, Philadelphia Lippincott 1961.
    Siehe dazu auch George Poulet und Maurice Blanchot in Critics of Consciousnes
    a.a.O., Sie gehören der 'Genfer Schule' an, die Bewusstsein als schöpfe-
    rischer Moment betrachtet.

30) Schiller, a.a.O., 26. Brief, S. 85.

Das Zitat ist eine Erläuterung zu Roquentins Erlebnis. Denn drei Tage

r dieser Szene, wo sein Tastsinn ihn noch völlig in der Gewalt hatte

as Vergnügen Papiere und andere Dinge anzufassen war ein Zwang, den die

nge auf ihn ausübten), formt sein Auge aus einer einfachen Strassenszene

n kunstvolles Ganzes:

... une petite femme en bleu ciel courait à reculons, en riant,
  agitant un mouchoir. En même temps, un Nègre avec un imperméable
ème, des chaussures jaunes et un chapeau vert, tournait le coin
  la rue et sifflait. La femme est venue le heurter, toujours à
culons, sous une lanterne qui est suspendue à la palissade et
'on allume le soir. Il y avait donc là, en même temps(v.m.h.)
tte palissade qui sent si fort le bois mouillé, cette lanterne,
tte petite bonne femme blonde dans les bras d'un Nègre, sous un
el de feu" (18).

e grelle Farbenkontrastierung lässt an ein Fauvegemälde denken. Roquentin

lbst verweist auf den Kunstcharakter dieser Szene: "l'ensemble s'est

imé pour moi d'un sens tres fort et même farouche, mais pur." Seiner

nbildungskraft gelingt es, zusammenhanglose Einzelheiten der Realität

mentan vor seinem Auge zu einem Ganzen zu verdichten, zu einem 'lebendigen

nzen,[31] welches ihn durch seinen 'reinen Sinn' beeindruckt. Wenn Roquentin

ch selbst auch gesteht, dass ihm solche Erfahrungen nicht ganz neu sind,

 ist es doch interessant, dass er sie den Tagebucheintragungen einfügt,

chdem er das Papier nicht aufzuheben vermochte, wie es sonst seine

wohnheit war. Die Funktion dieser Szene ist eindeutig: Der Zwang der

nge beginnt sich in ihm zu lösen. Der sich entfaltende 'Spieltrieb' befreit

n vom rein Sinnlichen.[32] Das Bewusstsein der Freiheit erwacht zunächst durch die

) Schiller, a.a.O., S. 45, 14 Brief: "Der Gegenstand des sinnlichen Triebes...
   heisst Leben... Der Gegenstand des Formtriebes... heisst Gestalt... Der
genstand des Spieltriebes... lebende Gestalt."

) Ebd., S. 74, 24. Brief: "Der Mensch in seinem physischen Zustand erleidet
   bloss die Macht der Natur; er entledigt sich dieser Macht in dem ästhetischen
stand."

ihn umgebenden Gegenstände, Kmer-Statuette, Kiesel, Papier, Bierglas, etc.,
aus dem Bereich der Natur und Gebrauchswelt. Sie bereiten ihm einen unbestimmbaren Ekel und Angst. Schiller sagt dazu: "Die ersten Früchte, die er
(noch im Stofftrieb verhaftet) in dem Geisterreich erntet, sind also Sorge
und Furcht; beides Wirkungen der Vernunft, nicht der Sinnlichkeit, aber
einer Vernunft, die sich in ihrem Gegenstand vergreift und ihren Imperativ
unmittelbar auf den Stoff anwendet" (24. Brief, S. 76). Der Ekel und die
Furcht entstehen, wenn sich die Dichotomie der zwei entgegengesetzten
Tendenzen (Stoff- und Formtrieb) im Menschen bewusst werden: Das Bewusstsein
Schiller nennt es "Vernunft" - welches das Absolute sucht, d.h. jenes welches
"Grund und Bedingung seiner selbst" ist, geht zuerst deshalb fehl, weil
es sich an seiner unmittelbaren Umwelt übt, bzw. nur registriert. In
dieser aber sieht er nur das sich ewig Verändernde, das der Zeit preis-
gegebene und zeitbedingte: den Stoff. Roquentin wird sich dessen bewusst:
" ... pour dire toute la vérité, j'en ai été profondément impressionné" als
er das Papier nicht aufzuheben vermochte, und "j'ai pensé que je n'étais
plus libre." Wie wichtig er diese Erkenntnis einschätzt bestätigt die
Tatsache, dass er zweimal diese Feststellung macht, zu Beginn und Ende der
Szene (S. 20 und 22).

Auch Maltes erste Tagebuchaufzeichnungen registrieren die Dingwelt. Sie
bringen, wie oben gezeigt wurde, seine Furcht vor der Veränderung zum Ausdruck.
Er versucht ihrer Herr zu werden: "Ich habe etwas getan gegen die Furcht. Ich
habe die ganze Nacht gesessen und geschrieben" (10, 721). Die drei darauf-
folgenden Aufzeichnungen sind, jede für sich, was die Szene der "petite

mme en bleu" für Roquentin ist: Kunstprodukt. Auch sie sind Pariser Szenen,

lche Malte auf seinen täglichen Spaziergängen beobachtet, doch sind sie

hon durch sein dichterisches Auge gestaltet: kunstvolles Ganzes.[33]

as so ein kleiner Mond alles vermag. Da sind Tage, wo alles um

nen licht ist, leicht, und kaum angegeben in der hellen Luft

d doch deutlich. Das Nächste schon hat Töne der Ferne, ist

ggenommen und nur gezeigt, nicht hergereicht; und was Beziehung

r Weite hat: der Fluss, die Brücken, die langen Strassen und

e Plätze, die sich verschwenden, das hat diese Weite eingenommen

nter sich, ist auf ihr gemalt wie auf Seide" (12, 722).

nstlerische Komposition waltet hier gegenüber lähmender Anreihung

r Dingwelt der 1. Aufzeichnung. In diesen drei 'Bildern' (11., 12., und

. Aufz) überwiegen Wörter wie "leicht", "licht", "hell", "verschwenden".

r "schöne, herbstliche Morgen" in den Tuilerien endet mit dem Mann,

ssen "Lächeln und leichter Schritt... voll von Erinnerungen an früheres

hen" ist (11, 722). In der Szenerie des "kleinen Mondes" beim Pont-neuf,

e "wie auf Seide gemalt" erscheint, "stimmt (alles), gilt, nimmt teil

d bildet eine Vollzähligkeit, in der nichts fehlt" (12, 723) Selbst das

nd im Handwagen der Leierkastenfrau stampft vor Lebensfreude und ist

ergnügt in seiner Haube" (13, 723), im Kontrast zu dem kränklichen

nd der ersten Aufzeichnung: "es war dick, grünlich, und hatte einen

utlichen Ausschlag auf der Stirn..."

Sprachlich reflektieren sich die beiden entgegengesetzten Bereiche

r Dingwelt und der Kunst durch die konsequente Wahl gewisser Adjektiva.

s im Malte 'licht, leicht, hell' ist, entspricht in Nausée den anorganischen

djektiva 'pur, dur, métallique, transparent'; was im Malte 'kränklich, grünlich

---

3) Vgl. Ziolkowski, a.a.O., S. 22f.

und nach Angst riecht', entspricht in <u>Nausée</u> den organischen Adjektiva
'doux, flou, louche, fade, rose, saignant'. So wie die Szenerie des "kleinen
Mondes" Malte beeindruckt wie ein 'Bild' auf Seide gemalt, in dem alles
"stimmt, gilt, nimmt teil und bildet eine Vollzähligkeit, in der nichts
fehlt", so ist der Eindruck der Szene der "petite femme en bleu" auf
Roquentin ganz der gleiche. Schiller sagt, der Mensch ist frei, sowie er
'spielt'. Er ist frei, wenn er sich vom Zwang der Dingwelt befreien kann.
Im Spiel ihrer Einbildungskraft schaffen sich Malte und Roquentin - vorüber-
gehend - diese Freiheit.

Die soeben besprochenen Episoden, ziemlich zu Anfang beider Tagebücher,
bezeichnen jedoch noch kein endgültiges Resultat. Was sie zeigen, ist die
Richtung, welche der Entwicklungsprozess bei beiden Helden nimmt: ein
sich entfaltendes ästhetisches Bewusstsein, in welchem die menschlichen
Fakultäten teilnehmen: Perzeption (Sinne), Apperzeption (Bewusstsein) und
Einbildungskraft. Die Elemente der Erfahrung, welche sich in der Aneignung
der Wirklichkeit ergeben, werden durch die Einbildungskraft einer neuen
Ordnung unterworfen. Sie dienen zur Konstituierung einer Welt, die zwar die
Gesetze der Natur wiederspiegelt, aber auch aus den Gesetzen des Künstlers
entspringt. Gesetze der Natur, insofern die Gegenstände im Kunstwerk so
gemalt oder geschildert sind, wie wir sie in der Wirklichkeit sehen. Gesetze
des Kunstwerks sind die neue Zu- und Anordnung der Elemente : Form und
Struktur. In der Kunstdarstellung sind die Gegenstände der Hierarchie der
Bedeutungen, welche ihnen die Wirklichkeit beimisst, enthoben und geniessen
den gleichen Wert. Dies ist der Grund, warum Malte die Strassenszene des

nt-neuf "wie auf Seide gemalt" erscheint, indem alles eine "Vollzähligkeit"

ldet, und Roquentin die Szene der "petite femme en bleu" wie ein 'Ganzes'

rch seinen 'reinen Sinn' beeindruckt. In Poesie und Einbildungskraft. Zur

chtungstheorie Wilhelm von Humboldts verweist Kurt Müller-Vollmer auf

mboldts Ansicht, nach welcher "der allgemeinste Wesenzug" der Kunst die

Verwandlung der Wirklichkeit, der Natur ... in ein Bild"[34] sei. Auch Rilke

nnt das Transponieren aus dem Bereich des Zufälligen und Wirklichen in

s Medium der Kunst : Verwandlung.[35] In diesem künstlerischen Schaffens-

ozess ist "nichts ausgelassen, nichts hinzugesetzt", sagt Humboldt.[36]

d Malte, in der "abgebrochenen Mauerszene": "Wird man es glauben, dass es

olche Häuser giebt? Nein, man wird sagen, ich fälsche. Diesmal ist es

ahrheit, nichts weggelassen, natürlich auch nichts hinzugetan" (18, 749).

er Grund, weshalb die Dinge in der künstlerischen Darstellung, auch wenn

ie so realistisch wie in der Wirklichkeit aussehen, dem Betrachter oder

eser doch einen andern Eindruck erwecken, ist, dass sie "gerade und rein

ur Phantasie des Zuschauers" gehen, wie sie "eben so rein aus der Phantasie

es Künstlers entsprungen"[37] sind. Für Maltes Grossvater, "der das Erzählen

och gekonnt haben soll" ist dies von der allergrössten Wichtigkeit: "Und

erden sie (die Leser) es überhaupt s e h e n,* was ich da sage?" (847)

s ist die Eigenart der Wortkunst, dass die Wörter so gesetzt werden müssen,

ass das Fehlende in der Darstellung der Gegenstände von der Phantasie des

---

4) Kurt Müller-Vollmer, Poesie und Einbildungskraft. Zur Dichtungstheorie
   Wilhelm von Humboldts, Metzlersche Verlagsbuchhandlung, Stuttgart 1967,S. 43.

5) Vgl. Bollnow, Rilke, a.a.O., S. 141: "Die Verwandlung des Sichtbaren".

6) Vgl. Kurt Müller-Vollmer, a.a.O., S. 45.

7) Ebd., S. 45.
   von Rilke hervorgehoben

Lesers ergänzt werden muss und sie (die Gegenstände) als Ganzes vor seinem

inneren Blick wieder erstehen müssen. Die Macht der künstlerischen Phantasie

muss den Leser so beeinflussen oder mitreissen können, dass er die Dinge

" s i e h t ". In dieser Form gestaltet sich die Dreiheit Künstler, Werk,

Leser, welche die Ontologie des Kunstwerks konstituiert.[38]

Für Malte spielen seine Erinnerungen der Vergangenheit eine grosse

Rolle. Seine Einbildungskraft schöpft in diesen Erinnerungen, um jeweils

eine bedeutsame Erkenntnis, welche zur Klärung seiner gegenwärtigen Lage und

Krise beitragen kann, daraus zu gewinnen. Roquentin dagegen sucht die Erklä-

rungen seiner Krise zum grössten Teil in der Gegenwart. Als er jedoch einen

Brief seiner früheren Geliebten Anny empfängt, werden auch in ihm Erinnerungen

wach:

> "Je me laisse couler dans le passé, Meknès ... Une place charmante
> de Meknès (wo er mehrere Jahre mit Anny gelebt hatte). Sans doute,
> si je ferme les yeux ou si je fixe vaguement le plafond, je peux
> reconstituer la scène: un arbre au loin, une forme sombre et
> trapue court sur moi. Mais j'invente tout cela pour les besoins
> de la cause. Ce Marocain était grand et sec, d'ailleurs je l'ai
> vu seulement lorsqu'il me touchait. Ainsi je sais encore qu'il
> était grand et sec: Certains connaissances abrégées demeurent
> dans ma mémoire. Mais je ne vois plus rien: j'ai beau fouiller
> le passé je n'en retire plus que des bribes d'images et je ne sais
> pas très bien ce qu'elles représentent, ni si ce sont des souvenirs
> ou des fictions" (52).

Roquentin beschäftigt sich hier mit demselben Problem wie Maltes Gross-

vater Brahe. Dieser fragte sich beim Erzählen seiner Memoiren, ob seine

Einbildungskraft die Erinnerungen dermassen gestaltet hätte, dass sie auch

für andere lebendig würden. Roquentin gesteht sich, dass seine Erinnerungen

fragmentarisch sind, Fetzen ("j'ai beau fouiller le passé, je n'en retire plus

que des bribes d'images"), es sei denn, er gestaltet sie durch seine Einbildungs-

---

Ebd., a.a.O., S. 46.

raft ("j'invente tout cela pour les besoins de la cause"), damit er sie
rzählen, d.h.   s e h e n   kann. Wie der Grossvater Brahe, so hebt auch
Roquentin dieses Verb im Text heraus, um die Funktion der Einbildungskraft
u unterstreichen. In dem Moment aber, wo die Einbildungskraft die Er-
nnerungen gestaltet, sind sie auch schon Fiktion ("des fictions"), d.h. Kunst.
Diese Erkenntnis wird sein ganzes zukünftiges Leben beeinflussen. Denn in
diesem Zusammenhang stellt er fest, dass die Vergangenheit 'undurchsichtbar'
ist. Gegenüber der Gegenwart, die existiert, ist die Vergangenheit schon
solidifiziert, sie ist: "je construis (v.m.H.) mes souvenirs avec mon
présent. Je suis rejeté, délaissé dans le présent. Le passé, j'essais en
vain de le rejoindre" (53). Nur die Einbildungskraft kann die Vergangenheit
wieder beleben. Als Roquentin dies einsieht, stockt auch seine biographische
Arbeit. Der Mensch Rollebon wird immer 'undurchsichtiger', die Dokumente
ergeben kein kontinuierliches Bild: "maintenant, l'homme ... l'homme
commence à m'ennuyer. C'est au livre que je m'attache." Die geschichtliche
Figur des Rollebons entgleitet ihm, je mehr er sich für das Buch, seine
schriftstellerische Tätigkeit, interessiert. Statt historischen Dokumenten
nachzugehen, möchte er seine Einbildungskraft spielen lassen: dann aber
schreibt er keine historische Biographie mehr, sondern einen Roman: "Lents,
paresseux, maussades, les faits s'accommodent à la rigeur de l'ordre que
je veux leur donner mais il leur reste extérieur. J'ai l'impression de faire
un travail de pure imagination" (26). Also kein objektiver Tatsachenbericht,
sondern subjektives Auslegen, künstlerische Gestaltung. Folgerichtig gibt
Roquentin seine historische Arbeit auf. Diese Erkenntnis bringt ihm den
Kontrast zwischen den Bereichen der Kunst und dem der Existenz immer deutlicher

zu Bewusstsein. Eines Tages hat er wieder einen Ekelanfall, diesmal in

einem öffentlichen 'café':

"Ça ne va pas! Ça ne va pas du tout: je l'ai, la saleté, la Nausée ...
j'étais entouré, saisi, par un lent tourbillon coloré, un tourbillon
de brouillard, de lumières dans la fumée, dans les glaces... Alors la
Nausée m'a saisi, je me suis laissé tomber sur la banquette, je ne
savais même plus où j'étais; je voyais tourner lentement les couleurs
autour de moi, j'avais envie de vomir" (32f).

Ein Schwindel überfällt ihn, er fühlt sich von Nebelschwaden umwallt.

Was hat diesen Ekelanfall hervorgerufen? Kurz zuvor, auf seinem Zimmer,

stellte er fest, dass er nicht arbeiten kann: "Un jour parfait pour faire

un retour sur soi" (27). Er betrachtet sein Gesicht im Spiegel: "la chose

grise ... du doux, du flou" seines Gesichtes ekelt ihn an: "Mon regard

descend lentement, avec ennui, sur ce front, sur ces joues: il ne rencontre

rien de ferme, il s'ensable" (30). Die 'Weichheit', d.h. Vergänglichkeit

der Existenz produziert seinen Ekelanfall und während dieser ihn im café

gepackt hält, lässt er sich eine Jazzplatte spielen:

"Je sens fortement que ça y est, que quelque chose est arrivé.
    Silence.
                Some of these days
                You'll miss me honey!
Ce qui vient d'arriver, c'est que la Nausée a disparu. Quand la voix
s'est elevée dans le silence, j'ai senti mon corps se durcir et la
Nausée s'est evanouie ... la durée de la musique... emplissait la salle
de sa transparence métallique, en écrasant contre les murs notre temps
misérable. Je suis dans la musique" (38)

Was geschieht, ist, dass die Jazzmelodie - Jazz als die Intellektualisierung

der Sensualität - Roquentin vom Ekel befreit. Er fühlt sich wie Metall ver-

härtet, als sei er ein Teil der Musik. Er sinnt: die Melodie ist der Zeit

enthoben. Ihr Anfang und Ende sind in sich selbst bedingt, folgen einer

inneren Notwendigkeit und Ordnung. Die Zeit des Kunstwerks und die Zeit der

Existenz werden jeweils mit anderen Masstäben gemessen. Diese, unsere Zeit
-- "notre temps - le temps des bretelles mauves et des banquettes défoncées -
il est fait d'instants larges et mous, qui s'agrandissent par les bords en
tache d'huile" (37)-- verläuft sinnlos, wie die Konturen seines Gesichts,
zerläuft sich 'wie ein Ölfleck'. Jene dagegen, die Zeit der Musik, des
Kunstwerks, ist notwendig. Immer wieder ist es diese Notwendigeit -- ein
Konzept,das Totalität impliziert -- welche Roquentin fasziniert:

"Il y a quelque chose a quoi je tenais plus qu'à tout le reste -
sans m'en rendre compte. Ce n'était pas l'amour, Dieu non, ni la
gloire, ni la richesse. C'était ... Enfin je m'étais imaginé qu'a
de certains moments ma vie pouvait prendre une qualité rare et
précieuse. Il n'étais pas besoin de circonstances extraordinaires:
je demandais tout juste un peu de rigueur" (58).

Diese "qualité rare et précieuse" und "rigueur" hatte er von seinen Erleb-
nissen, seinen 'Abenteuern' erwartet:

"Hélas! Je vois si bien maintenant ce que j'ai voulu. De vrais
commencements, apparaissant comme une sonnerie de trompette,
comme les premières notes d'un air de jazz, brusquement, coupant
court à l'ennui, raffermissant la durée" (58).

Das Verlangen nach ästhetischer Freiheit im schöpferischen Moment
beherrscht sein Denken: "Oui, c'est ce que je voulais - hélas! c'est ce
que je veux encore. J'ai tant de bonheur quand une Nègresse chante: quels
sommets n'attendrais-je point si ma propre vie faisait la matière de la
mélodie" (59). Wie eine Jazzmelodie, also wie ein Kunstwerk, wollte er
seine 'Abenteuer' erleben, mit bewusstem und notwendigem Anfang und Ende,
wo das Geschehen nicht von einem Zufall, sondern einer gewollten, sinn-
vollen Ordnung stattfand. Doch bringen ihm seine Reflexionen zur Erkenntnis,
dass 'Abenteuer' nur in Büchern stehen: "les aventures sont dans les livres",

denn: "pour que l'évènement le plus banal devienne une aventure il faut
et il suffit qu'on se mette à le raconter" (60). Die Existenz jedoch --
im Kontrast zur notwendigen, gewollten Ordnung in der Erzählung, d.i.
Kunstwerk, wo jedem Geschehen eine Bedeutung im Zusammenhang mit dem
Ganzen zukommt --- ist grundsätzlich zusammenhanglos, "sans rime ni
raison": "Quand on vit, il n'arrive rien. Les decors changent, les gens
entrent et sortent, voilà tout. Il n'y a jamais de commencements. Les
jours s'ajoutent aux jours sans rime ni raison, c'est une addition inter-
minable et monotone" (61). Die gleiche zusammenhanglose Anreihung der
Dinge, welche auch Malte am Anfang seines Tagebuches deprimiert. Roquentins
Tagebuch stellt sich dar in der Dialektik zwischen Existenz (Spiegelszene,
Kastanienbaumwurzelszene, u.a.) und Kunst (Jazzmelodie, 'Abenteuer', Gemälde-
galerie, Skulptur des Impétraz, die Romane Eugénie Grandet, la Chartreuse
de Parme, etc.). In der Kontrastierung dieser beiden Bereiche, Kunst und
Existenz, wird ihm endlich bewusst, dass sein Ekel aus dem 'formlosen',
bedingten, sinnlosen Sein der Existenz entspringt, gegenüber dem 'geord-
neten' und 'notwendigen' Sein der Kunst. Ohne dass ihn seine, aus diesen
Reflexionen sich entfaltende, ästhetische Dimension zur Formulierung einer
eigenen Kunsttheorie führt, begnügt er sich mit dem Entschluss, 'notwendigen
Sinn' zu schaffen, nachdem er sich davon überzeugt hat, dass er seine
Existenz nicht als Kunstwerk gestalten kann:

"Et moi aussi j'ai voulu ê t r e. Je n'ai même voulu que cela;
voilà le fin mot de ma vie: au fond de toutes ces tentatives (sein
Leben als 'Abenteuer' zu gestalten) qui semblaient sans liens, je
trouve le même désir: chasser l'existence hors de moi, vider les
instants de leur graisse, les tordre, les assécher, me purifier,
me durcir, pour rendre enfin le son net et précis d'une note
de saxophone. Ça pourrait même faire un apologue: il y avait un
pauvre type qui s'était trompé de monde. Il existait, comme
les autres gens, dans le monde des jardins publics, des bistrots,

es villes commerçantes et il voulait se persuader qu'il vivait
illeurs, derrière la toile des tableaux, avec les doges du Tintoret,
vec les braves Florentins de Gozzoli, derrière les pages des
ivres, avec Fabrice del Dongo et Julien Sorel, derrière les disques
e phono, avec les longues plaintes sèches des jazz" (245).

Bevor Roquentin Bouville für immer den Rücken kehrt und sein Tagebuch

eendet, hört er noch einmal die Jazzmelodie, welche ihn zu Anfang vom

kel befreit hatte. Eine lang nicht gekannte Freude überkommt ihn: "Quelque

hose que je ne connaissais plus: une espece de joie" (248) und er über-

egt, ob er sich nicht auch der Kunst zuwenden sollte, einer Kunstart,

ie seinem Talent entgegenkommen würde:

Est-ce que je pourrais pas essayer... Naturellement, il ne s'agirait
as d'un air de musique... mais est-ce que je ne pourrais pas,
ans un autre genre?.... Il faudrait que ce soit un livre:
e ne sais rien faire d'autre. Mais pas un livre d'histoire,
a parle de ce qui a existé - jamais un existant ne peut
ustifier l'existence d'un autre existant. Mon erreur, c'était
e vouloir ressusciter M de Rollebon. Une autre espèce de livre.
e ne sais pas très bien laquelle - mais il faudrait qu'on
evine, derrière les mots imprimés, derrière les pages, quelque
hose qui n'existerait pas qui serait au-dessus de l'existence.
ne histoire, par exemple, comme il ne peut en arriver, une aventure" (248).

Mit dem Entschluss ein Werk der Einbildungskraft zu schaffen, welches

otwendigen Sinn und Ordnung hat, nimmt Roquentin den Zug nach Paris.

In Maltes Tagebuch sind Kunst und Dichtertum "die goldenen Fäden,

ie durch die Gewebe lenken, welche das Muster festlich vollenden."[39]

n einer seiner theorethischen Schriften sagt Rilke : "Kunst ist also die

---

9) Rilke, Sämtliche Werke, Bd. VI, S. 1171.

Ergänzung des Gottbildes" und "Kunst ist nur ein Weg, kein Ziel."[40]
In der Legende des Verlorenen Sohnes heisst es, dass "er jetzt furchtbar
schwer zu lieben (war), und er fühlte, dass nur Einer dazu imstande sei.
Der aber wollte noch nicht." Von diesem Einen sagt Malte, anlässlich
seiner Schilderung von Abelonens Liebeskraft, dass Er nur eine Richtung
sei. Es wird im Laufe des Romans -- hier in der Parallele angedeutet --
evident, dass Gott und Kunst ein Identisches[41] für Malte ist: das Absolute
und die Vollendung. In diesem Sinne wäre das Ende des Malte nicht unbedingt
als "Suche nach dem christlichen Gott" (Ziolkowski) zu verstehen, sondern
im Sinne Rilkes, als Suche nach Perfektion in der Kunst zu interpretieren.

Malte, der Dichter, sucht seine Richtung. Seine ersten dichterischen
Versuche findet er selbst schlecht, weil sie nur Gefühle zeigen und
"die hat man früh genug" (14, 724). Er begreift, Gefühle und Erlebnisse
müssen "zu Blut, Blick und Gebärde" werden, nämlich verwandelt werden.
Durch diese Einsicht entledigt Malte sich vom Zwang des Sinnlichen
und wird ästhetisch frei. In diesem Sinne ist Maltes Rückkehr zur Kindheit
zu verstehen. Von der Ebene des Unbewussten, nur Erfühlten, der Kindheit,
holt Malte die Erlebnisse auf die Ebene des Bewusstseins, wo er sie nun
gestalten kann, sie in der Welt des "Scheins" zu Wirklichkeiten ("Blut,
Blick und Gebärde") zu machen. Die zeitliche Distanz der Kindheit zur
Pariser Zeitebene ist daher ein guter Ansatzpunkt zu einer Neubewertung.

---

40) Ebd., S. 1174

41) Schon im Stundenbuch steht der Gottesbegriff auch für die Kunstidee.
Vgl. K. Hamburger, "Die phänomenologische Dichtung Rilkes," a.a.O., S. 116.

indheit als Quell unbegrenzter Möglichkeiten des Seins ist für den

Ünstler - in der Aussonderung der eigenen Fähigkeiten - von besonderer

edeutung. So konstituiert sich Maltes Kindheit als sein intentionales

rkenntnisobjekt. Die Erkenntnis der Funktion verschiedener Einflüsse

eines Stammbaums auf sein Wesen begreift Malte beim Tode seines Vaters:

Es fiel ihm ein, dass erst alles geordnet sein (muss) bevor er wieder

bfahren konnte: Was geordnet sein wollte, war mir nicht klar." Doch

leich darauf: "Der Verdacht stieg in mir auf, dass noch keiner dieser

influsse und Zusammenhänge wirklich bewältigt worden war... Auch die

indheit würde also gewissermassen noch zu leisten sein" (46, 856).

Diese 'Leistung der Kindheit' wird zur Darstellung seiner dichte-

ischen Kräfte. In der Blutmischung der Brigges und Brahes, seiner

äterlichen und mütterlichen Linie, erkennt Malte die Keime und Anlagen

um eigenen Dichtertum. Die zwiespältige Anlage entsteht aus dem

pollinischen und dionysischen Elementen der Kunst, von welchen Rilke

in seinen Marginalien zu Nietzsche, 1900, sagt: "Das Dionysische Leben

ist ein unbegrenztes In-Allem-Leben, zu dem der Alltag sich wie eine

ächerliche kleine Verkleidung verhält."[42] Sokel kommentiert den "schein-

aren Widerspruch" der sich durch den ganzen Malte zieht und sich am

offensichtlichsten in der Gegenüberstellung der beiden Geschlechter

ausdrückt)... bei den Brigges (kündet) alles von Individualität, Deutlich-

keit und Unterscheidung", bei den Brahes herrscht "Austauschbarkeit,

neinanderfliessen der Formen... Ununterscheidbarkeit." Sokels "Briggesches

---

2) Rilke, Sämtliche Werke, Bd. VI, S. 1165.

Prinzip der Authentizität und Brahesches Prinzip des alle-Grenzen-Zerfliessen-

Lassens" -- welches sich besonders in ihrer Todes- und Zeitauffassung aus-

drückt[43] -- weisen Analogien zu Nietzsches Vorstellung des Apollinischen

und Dionysischen auf. Die Fähigkeit des unbegrenzt In-Allem-Leben wird

vornehmlich an der Gestalt des Grossvater Brahe dargestellt. Ihm sind

alle Zeiten gleich- und gegenwärtig. Aber auch die andern Mitglieder

dieser Linie stellen bis zu gewissem Grad die "Verherrlichung der ewige(n)

Flucht der Erscheinungen" dar: man denke nur an Christine Brahe, den

kleinen Eric. Das Briggesche Erbe in Maltes Blut ist am Grossvater Brigge

exemplifiziert: Das Apollinische, oder "die Verherrlichung der Ewigkeit

der Erscheinung."[44] In der Vereinigung dieser beiden Kräfte, der auflösenden

und der anspannenden, sind Malte die notwendigen Triebe zum Künstler

gegeben, das Absolute oder die Schönheit zu schaffen, von der "zugleich

eine auflösende und eine anspannende Wirkung zu erwarten (sei): eine

auflösende, um sowohl den sinnlichen Trieb als auch den Formtrieb in

ihren Grenzen zu halten; eine anspannende um beide in ihrer Kraft zu

erhalten."[45] Malte begreift, dass er diese beiden Kräfte kanalisieren

muss, besonders diejenige der Einbildungskraft. Sie 'geistert' als

Gespenster in seiner mütterlichen Linie, wo das Unsichtbare 'sichtbar'

wird, wie z.B. in der Schulinepisode: "Georg hatte ganz vergessen, dass

das Haus (welches abgebrandt war) nicht da war, und für uns alle war es in

---

43) Sokel, a.a.O., S. 213: "Brigge stirbt seinen eigenen Tod, der Individua-
    lität, Authentizität, Krönung und Vollendung seines Lebens darstellt."
Der alte Brahe dagegen erkenne den Tod nicht an "weil der Zeitablauf - Vergangenheit, Gegenwart, Zukunft - nicht anerkannt wird."

44) In den 'Marginalien zu Nietzsche' (Bd. VI, 1170) sagt Rilke: "Apollo
    (überwindet) das Leiden des Individuums durch die Verherrlichung der
Ewigkeit der Erscheinung, während in der dionysischen geradezu die ewige
Flucht der Erscheinungen gefeiert wird."

45) Schiller, a.a.O., S. 50, 16. Brief.

diesem Augenblick da" (42, 838). Oder die Szene der verstorbenen Ingeborg, von der Malte sagt: " S e h e n eigentlich konnte ich sie nur, wenn Maman mir die Geschichte erzählte" (27, 786): "Es war mitten im Sommer, am Donnerstag nach Ingeborgs Beisetzung." Die Familie sitzt um den Teetisch und Maltes Mutter bemerkt, dass alle so taten, als erwarteten sie die noch fehlende Ingeborg, die sonst immer die Post brachte. "Ich blickte auf und sah alle andern dem Hause zugewendet, nicht etwa auf eine besondere auffällige Weise, sondern so recht ruhig und alltäglich in ihrer Erwartung." Selbst der Hund schien sie zu erwarten: "Da schoss schon Cavalier, wie er immer tat, unter dem Tisch hervor und lief ihr entgegen. Ich hab es gesehen, Malte, ich hab es gesehen. Er lief ihr entgegen, obwohl sie nicht kam; für ihn kam sie" (791).

In der Spiegelszene machen sich diese Kräfte der Vorstellung und Phantasie in seiner eigenen Person kund. Das Kind Malte entdeckt auf dem Dachboden allerhand "vages Maskenzeug" mit dem er sich verkleidet und

"dessen phantastisches Ungefähr mir das Blut in die Wangen trieb: heiss und zornig stürzte ich vor den Spiegel und sah mühsam durch die Maske durch... aber darauf hatte er (der Spiegel) nur gewartet.... er diktierte mir ein Bild (ein), nein, eine Wirklichkeit mit der ich durchtränkt wurde gegen meinen Willen.... Ich starrte diesen grossen schrecklichen Unbekannten vor mir an... in demselben Moment.... geschah das Äusserste: ich verlor plötzlich allen Sinn, ich fiel einfach aus" (32, 808).

Das "vage Maskenzeug" wird hier mit den "bestimmten Trachten" kontrastiert, mit denen Malte vorher spielte. Diese verweisen ihn immer wieder an die von der Gesellschaft festgesetzten Rollen, an das "überaus gemeinsame Leben, wo man bei Bekannten weilt", denn die Trachtenverkleidungen "gingen indessen nie so weit, dass ich mich mir selber entfremdet fühlte" (804). Das "vage

Maskenzeug" dagegen steht für die Unerschöpflichkeit der Phantasie, die
unendliche Möglichkeiten des Seins vorspiegeln kann. Doch kann sie
überhand nehmen und das Individuum auslöschen. Malte erkennt jetzt,
dass die zügellose, ungebundene Phantasie sich als jener "schreckliche
Unbekannte" erwies, weil er die anderen Fähigkeiten der Distanzierung
und Erkenntnis noch nicht besass. So von der Phantasie übermannt, "verlor
(ich) allen Sinn, ich fiel einfach aus." Auch Roquentin, in der oben
besprochenen Spiegelszene, kommentiert: "Mon visage ... n'a pas de sens."
Aber die Funktion des Spiegels ist verschieden. Solange man seine von
der Gesellschaft festgelegte Rolle spielt hat man Sinn: "Ceux (die Gesichter)
des autres ont un sens." Doch sowie man die Rolle ablegt, erscheint "das
Sein, welches unter allem Seienden gilt": "une chair fade qui s'épanouit
et palpite avec abandon", erscheint das 'Weiche', Formlose der Existenz.
Während Roquentin hier von dem Übermass an Existenz bedroht wird, ist
Malte von einem Übermass an Phantasie bedroht. Die unwillkürliche, wilde
Phantasie in formende, sinngestaltende Einbildungskraft[46] zu verwandeln,
um sie so handhaben zo können, wie sein Grossvater Brahe, "der das Erzählen
noch gekonnt haben soll", ist Maltes Bestreben. Ein Modellfall zeigt sich u.a.
in der 41. Aufzeichnung. Malte und seine Mutter betrachten Spitzen, in
welchen sie kraft ihrer Einbildungskraft Landschaften, Klostergänge, Treib-
häuser, etc... sehen:

---

46) Judith Ryan, a.a.O., S. 361 bezeichnet Maltes Produkte der Einbildungs-
    kraft "Phantasiekonstruktionen", mit welchen Malte das nicht Durch -
schaubare der äusseren Welt ergänzen wolle. Sie scheint der Phantasie oder
Einbildungskraft keine Verwandlungskraft zuzugestehen. Vgl. dagegen S.79
dieser Arbeit, wo die Einbildungskraft als konstitutives Mittel des Kunstwerks verstanden wird.

Da kamen erst Kanten italienischer Arbeit, zähe Stücke mit aus-
ezogenen Fäden, in denen sich alles immerzu wiederholte, deutlich
ie in einem Bauerngarten. Dann war auf einmal eine ganze Reihe
nserer Blicke vergittert mit venezianischer Nadelspitze, als ob
ir Klöster wären oder Gefängnisse. Aber es wurde wieder frei,
nd man sah weit in Gärten hinein, die immer künstlicher wurden,
is es dicht und lau an den Augen war wie in einem Treibhaus:
runkvolle Pflanzen, die wir nicht kannten, schlugen riesige
lätter auf, Ranken griffen nacheinander, als ob ihnen schwindelte,
nd die grossen offenen Blüten der Points d'Alençon trübten alles
it ihren Pollen. Plötzlich, ganz müde und wirr, trat man hinaus
n die lange Bahn der Valenciennes, und es war Winter und früh
m Tag und Reif. Und man drängte sich durch das verschneite Gebüsch
er Binche und kam an Plätze, wo noch keiner gegangen war" (41, 835).

n dem "als ob wir Klöster wären" ist noch eine Distanzierung zwischen

er Wirklichkeit (der Betrachter) und dem Kunstwerk. Danach springt die

inbildungskraft beider in diejenige des Kunstwerks über; es ist die

igenschaft eines Kunstwerks "gerade und rein zur Phantasie des Zuschauers"

inzugehen, wie es "eben so rein aus der Phantasie des Künstlers entsprungen"

st.[47] Von den Künstlerinnen aber, deren Phantasie diese Spitzenmuster

ntworfen haben, sagt Maltes Mutter auf eine Frage Maltes: "Ob sie in

en Himmel (kommen)? Ich glaube sie sind ganz und gar drin. Wenn man das

o sieht: das kann gut eine ewige Seligkeit sein" (836). Diese "Seligkeit"

chwingt assoziativ zurück zur 18. Aufzeichnung, in welcher Malte noch

arum ringt: "Ich bin der Eindruck, der sich verwandeln wird... Nur ein

chritt, und mein tiefes Elend würde Seligkeit sein" (756).

Im Zusammenhang mit der Entfaltung von Maltes dichterischen Kräften

eichnet sich gleichzeitig ein wichtiger Aspekt seiner Ästhetik ab,

ämlich, "dass die Schönheit nicht in der Ausschliessung gewisser

ealitäten, sondern in der absoluten Einschliessung aller besteht, dass

---

7) Kurt Müller-Vollmer, a.a.O., S. 45.

sie also nicht Begrenzung sondern Unendlichkeit ist."[48] Diese schon in

den Ästhetischen Briefen gestellte Forderung fürs Kunstwerk entspricht

der Erkenntnis, welche sich Malte an Baudelaires Gedicht "Une Charogne"

in der 22. Aufzeichnung aufdrängt:

"Erinnerst Du Dich an Baudelaires unglaubliches Gedicht 'Une
Charogne'? Es kann sein, dass ich es jetzt verstehe. Abgesehen
von der letzten Strophe war er im Recht. Was sollte er tun,
da ihm das widerfuhr? Es war seine Aufgabe, in diesem Schrecklichen,
scheinbar nur Widerwärtigen das Seiende zu sehen, das unter allem
Seienden gilt. A u s w a h l   u n d   A b l e h n u n g   g i e b t
e s   n i c h t" (775).

Die Funktion des Gedichtes ist hier, auf der Ebene der Kunst, Malte die

Einsicht zu vermitteln, welche die 'Fortgeworfenen' in den Pariser

Strassen des 1. Teils und die 'Liebenden' des 2. Teils konkret vor

Augen führen. In ihrer schrankenlosen, undifferenzierten Hingegebenheit -

"denn ihr macht keine Unterschiede" - werden sie Malte zum Modell: "Es

ist nur ein Schritt von der Hingabe der Liebenden zum Hingegebensein...

des Dichters."[49] Es ist diese Erkenntnis, welche ihm die 'Fortgeworfenen'

vermitteln sollten: "Dass es sich nicht um den Bleistift handeln konnte,

begriff ich wohl: ich fühlte, dass das ein Zeichen war, ein Zeichen für

Eingeweihte, ein Zeichen, das die Fortgeworfenen kennen" (16, 744).

Diese Erkenntnis markiert einen grossen Umschwung und Fortschritt in seiner

künstlerischen Entfaltung. Denn entsetzt und deprimiert, wie Malte zuerst

durch die Misere und das Elend der Wirklichkeit, die ihn umgibt, ist,

flüchtet er sich nicht in eine ästhetisierende Kunst -- wie sie die

---

48) Schiller, a.a.O., S. 56, 18. Brief.

49) Rilke, Sämtliche Werke, Bd. VI, S. 1016.

Neuromantik der Jahrhundertwende praktizierte -- noch in einen poetischen Realismus: "Ein Dichter.... der nicht in Paris wohnt, ... einer, der ein stilles Haus hat im Gebirge ... Ein glücklicher Dichter, der von seinem Fenster erzählt und von den Glastüren seines Bücherschrankes, die eine liebe, einsame Weite nachdenklich spiegeln. Gerade der Dichter ist es, der ich hätte werden wollen" (16, 745). Stattdessen inkorporiert Malte die Wirklichkeit in seine Ästhetik, "um in diesem Schrecklichen, scheinbar nur Widerwärtigen das Seiende zu sehen." Schon einmal vorher, in den Abschnitten 11-13, hatte Malte seine Umwelt in Kunst verwandelt. Aber es waren lichte, freundliche Szenen wie wir sahen. In der 18. Aufzeichnung jedoch gibt Malte eine Folge von drei Szenen, der 'Choufleur-Verkäufer', die 'abgerissene Mauer' und der 'Sterbende in der Crèmerie', die von Blindheit und Misere bis zum Sterben führen. Die erste endet mit "Das habe ich gesehen. Gesehen"; die zweite: "Das ist das Schreckliche, dass ich sie (die Mauer) erkannt habe. Ich erkenne das alles hier"; die dritte: "Ich habe jenen Mann nur begreifen können, weil auch in mir etwas vor sich geht, das anfängt, mich von allem zu entfernen und abzutrennen" (755). Gerade diese dritte Szene ist aber ein prägnantes Beispiel seiner neuen Ästhetik:

"Die Verbindung zwischen uns war hergestellt, und ich wusste, dass er erstarrt war vor Entsetzen. Ich wusste, dass das Entsetzen ihn gelähmt hatte, Entsetzen über etwas, was in ihm geschah. Vielleicht brach ein Gefäss in ihm, vielleicht trat ein Gift, das er lange gefürchtet hatte, gerade jetzt in seine Herzkammer ein, vielleicht ging ein grosses Geschwür auf in seinem Gehirn wie eine Sonne, die ihm die Welt verwandelte" (754).

Der Vergleich ist stark und eindrucksvoll. Ein ekliges Geschwür mit der lebensspendenden Sonne zu vergleichen, in einem Satz zu integrieren, ist zweifelsohne ein grosser Fortschritt in seiner Fähigkeit die Wirklichkeit darzustellen; hier ist ja das Widerliche sogar Ausgangspunkt für den Vergleich. Ein späteres Beispiel zeigt, dass die zuerst vom Bewusstsein begriffene Forderung nun vollkommen in seine Kunsttheorie eingegangen ist. Die Aufzeichnung über den aussätzigen König Karl dem VI. erzählt:

"Jetzt erst entdeckten sie (die gedungenen Mörder) die jäsige
Wunde auf seiner Brust, in die das eiserne Amulett eingesunken
war, weil er es jede Nacht an sich presste mit aller Kraft seiner
Inbrunst; nun stand es tief in ihm, fürchterlich kostbar, in
einem Perlensaum von Eiter wie ein wundertuender Rest in einer
Mulde eines Reliquars" (61, 906).

Wie schon vom "Spiegel"- (32.) zum "Spitzen"-Abschnitt (41.) so ist auch hier von der 18. zur 61. Eintragung die Progression nicht zu übersehen: die ungezügelte Phantasie (32.) entwirft phantastische, doch "sinnvolle" Muster (41.). Das "Geschwür im Gehirn" ist jetzt zur "jäsigen Wunde auf seiner Brust " geworden, wo es "eingesunken" ist und "tief in ihm, fürchterlich kostbar, in einem Perlensaum von Eiter". Die Sprache selbst erzeugt die Bedeutung: durch die Oxymora ist das Widerliche in das Bereich des schönen Scheins gehoben und integriert: "fürchterlich kostbar" und "Perlensaum von Eiter". Das Zeichen der Fortgeworfenen, welches Malte langsam begreift, um es dann zu akzeptieren, wird zum Grundelement seiner Ästhetik, zu "Blumen des Widerlichen".

Ausgegangen wurde in diesem Kapitel von einer Krise der Helden, welche durch eine Bewusstseinsveränderung hervorgerufen wird. Konkret

ündet sich diese Bewusstseinsveränderung an durch eine neue 'Sehweise',
elche das 'normale' und empirische Bewusstsein erweitert und vertieft,
o dass unter dem Schein des Alltäglichen sich das So-sein der Dinge
nd der Existenz zeigt: es ist fragmentarisch, unübersichtlich, sinnlos.
s wurde daraufhingewiesen, dass es sich bei diesem 'Sehen' und 'Schauen'
icht um eine mystische 'innere Schau' handelt, sondern "immer um das
ahrnehmen der äusseren Welt". Gleichzeitig stellen die Helden fest, dass
hre Einbildungskraft die Fähigkeit besitzt, das Fragmentarische der
ealität zu durchdringen und zu einer abgeschlossenen, geordneten Totalität
u gestalten. Beispiele davon waren die besprochenen Szenen der "petite
emme en bleu" und Maltes Abschnitte 11-13. Roquentins erwachtes ästhe-
:isches Bewusstsein erzählt im Tagebuch Erlebnisse und Reflexionen, welche
hm immer klarer den Unterschied der Seinsweisen zwischen Kunst und
Existenz zu erkennen geben, so dass er den Entschluss fasst, einen Roman
:u schreiben, in welchem er, kraft seiner Einbildungskraft, eine 'sinnvolle'
)rdnung schaffen kann.

Dagegen kristallisiert sich Maltes ästhetisches Bewusstsein zu einer
neuen Ästhetik. Praktisch an Baudelaire anschliessend, dessen "Blumen des
3ösen" ihn zu seinen 'Blumen des Widerlichen' inspirieren, unternimmt Malte
einen radikalen Bruch mit dem poetischen Realismus des 19. Jahrhunderts
und dem Asthetizismus der Jahrhundertwende. Malte begreift, dass künstlerisches Schaffen nicht in der Begrenzung sondern in der Einschliessung
aller Schichten der Realität liegen muss, denn "Auswahl und Ablehnung giebt
es nicht". Dieses ist praktisch die Voraussetzung, in der allgemeinen

fragmentarischen Realität Totalität darstellen zu können. Mangels eines allgemein gültigen Systems -- Malte meint es in der griechischen Antike zu erkennen, wenn er von den zwei 'runden Halbschalen' spricht, die sich zu einer Totalität zusammenfügten -- kann diese Totalität jeweils nur im einzelnen Kunstwerk entstehen. Modelle dieser Totalität sind ihm nicht nur die grossen Liebenden, deren nicht auf ein Liebesobjekt begrenzte 'offene Liebe' schon "Ruf und Antwort" in sich hat, sondern auch schon die Pariser Fortgeworfenen, die in ihrem absoluten Hingegebensein in ihr Elend "keine Unterschiede" machen.

In engstem Zusammenhang mit dem Konzept der Totalität und unzertrennlich davon ist Maltes Theorie der Gleichzeitigkeit, welche im nächsten Kapitel besprochen wird.

Indem die Angstkrise beider Helden durch Bewusstseinsveränderung ihr ästhetisches Vermögen entwickelt, gilt für beide Schillers Wort:

"Nur wo die Masse schwer und gestaltlos herrscht und zwischen unsichern Grenzen die trüben Umrisse wanken, hat die Furcht ihren Sitz; jedem Schrecknis der Natur ist der Mensch überlegen, sobald er ihm Form zu geben und es in sein Objekt zu verwandeln weiss... mit edler Freiheit richtet er sich auf gegen seine Götter. Sie werfen die Gespensterlarven ab, womit sie seine Kindheit geängstigt hatten, und überraschen ihn mit seinem eigenen Bild, indem sie seine Vorstellung werden."[50]

---

50) Schiller, a.a.O., S. 80, 24. und 25. Brief.

K A P I T E L V

Zur Struktur im Malte Laurids Brigge und La Nausée

Wegweisende und aufschlussreiche kritische Einsichten in die Struktur
des Malte haben dazubeigetragen, Rilkes Ausdruck "mosaikhaft" nicht länger
mit "chaotisch", "formlos" oder "kunterbunt aufeinander" folgenden Aufzeichnungen gleichzusetzen. Vielmehr ist die Kritik seit Emrich, Martini
und Fülleborn sich einig, dass hier im Malte eine 'Zertrümmerung des
traditionellen Romans' stattfinde. Die Meinungen trennen sich dann allerdings
in der Weise, wie die Rekomposition des Romans verstanden wird. Einerseits
vergleicht Angelloz die Struktur des Romans mit einer musikalischen
Komposition; der Malte sei um "grosse, grundlegende Themen orchestriert:
die Stadt, der Tod, die Kindheit, die Liebe". Auch Fülleborn nimmt den

Vergleich mit einer musikalischen Komposition auf. Die Struktur folge den
musikalischen Prinzipien der Komplementarität und Kontrapunktik, so dass
die assoziative Reihe von Bildern und Reflexionen nicht mehr "willkürlich",
sondern "als notwendig gegenseitige Ergänzungen" verstanden werden müssen.
Diese jedoch drängen nicht - wie Seifert argumentiert - zur Synthese,
sondern erhalten ihre Bedeutung im "bebenden Gleichgewichtspiel", wo
Sinngestaltung, analog der modernen Dichtung, schon in der Form enthalten
sei. Hoffmann und Ziolkowski sehen den Malte als "fortschreitende
schriftstellerische Arbeit", in welcher Malte die 'Krise des Erzählens'
überwinde, indem er von subjektiven Eindrücken zu objektiven Darstellen
gelange. Diese Entwicklung spiegele, laut Ziolkowski, die Spannung
zwischen "temporality of existence and the timelessness of art", wo die
chronologische Zeit ersetzt werde durch 'zeitlose' Darstellung.

Andrerseits sehen Emrich, Hamburger und Martini das intentionale
Bewusstsein als neues Gestaltungsmoment. Gegenüber der mimetischen Prosa
des 19. Jahrhunderts, welche die äussere Welt in einer kontinuierlichen
Handlung wieder erstehen liess, durchbreche das intentionale Bewusstsein
das empirische Bewusstsein von Welt, um "Erkenntnis, totale Erkenntnis"
zu leisten.

Meine Untersuchung wird einerseits Hoffmanns und Ziolkowskis Verständnis des Malte als 'fortschreitende schriftstellerische Arbeit' aufnehmen,
in welcher Malte 'als echter Erbe seines Grossvaters Brahe' zu einer
'zeitlosen' Darstellungsweise gelangt. Andrerseits knüpfe ich an die von
Emrich, Hamburger und Martini erarbeitete Problematik eines intentionalen

Bewusstseins als neuen Gestaltungsmoments an. Es wird zu zeigen sein, wie
die 'zeitlose' Darstellung abhängig und unzertrennlich ist vom intentionalen
Bewusstsein. Wie ich oben (siehe Kapitel III, S. 53) durch ein Beispiel
phänomenologischer Reduktion zeigte, geben sich die Aufzeichnungen nicht
als mimetische Darstellung von Welt; stattdessen will das Bewusstsein,
unter Ausschaltung der zeitlich gebundenen Umstände oder Situationen die
Phänomene selbst erkennen. Die Wiederholung eines Themas (z.B. Tod, Kindheit,
Liebe) andererseits eröffnet neue Aspekte desselben Themas, so dass sich
die Erkenntnis vertieft und verdichtet. In diesem Sinne stellen die
Aufzeichnungen einen Raum der Erkenntnis dar, der zwar an ein Bewusstsein
gebunden, aber das empirische durchbricht und vertieft (siehe Kapitel IV,
S. 67f). Es ist gerade diese Verlagerung der Intention des Tagebuch-Ichs,
welche Hoffmann und Ziolkowski mit der Entwicklung von subjektiv zu objektiv
bezeichnen. Wie sich der Erkenntnisraum in der Romanstruktur zeigt, wird
als nächstes untersucht werden.

In seiner 1945 herausgegebenen Studie "Spatial Form in the Modern
Novel" bemerkt Joseph Frank, dass der Raum jenes Strukturelement darstelle,
welches den Schlüssel zum Verständnis manchen modernen Romans, der oft als
dunkel und unverständlich betrachtet wird, liefere. Seine Untersuchung
gründet sich hauptsächlich auf das Bedürfnis moderner Romanciers aus
der linearen Zeitstruktur auszubrechen, um das Moment der Perzeption,
in welchem Zeit und Raum als Einheit gesehen werden, festzuhalten. Er
stellt fest: "since language proceeds in time, it is impossible to approach
this simultaneity of perception without recourse to the creation of a

spatial dimension."[1]

Im Anschluss an die von Frank gewonnenen Einsichten weist auch Sharon Spencer daraufhin, dass die neue Art und Weise, wie Zeit und Raum konzipiert werden - seit Einstein anfang des 20. Jahrhunderts seine Relativitätstheorie veröffentlichte - die Struktur des modernen Romans verwandelt habe. In der Renaissance sei der Raum linear verstanden worden. Dagegen sei der Raum in der heutigen Zeit vielseitig und von unerschöpflichen Verbindungsmöglichkeiten, "none of which are mutually exclusive."[2] Die Realität, wie die Landschaft, könne so viele Aspekte haben als es Perspektiven gibt:

"El error inveterado consistía en suponer que la realidad tenia por sí misma, e independientemente del punto de vista que sobre ella se tomara, una fisonomía propia. Pensando asi, claro está, toda visión de ella desde un punto determinado no coincidería con ese su aspecto absoluto y, por tanto, sería falsa. Pero es el caso que la realidad como un paisaje, tiene infinitas perspectivas, todas ellas igualmente verídicas y auténticas. La sola perspectiva falsa es esa que pretende ser la única."[3]

---

1) Joseph Frank, "Spatial Form in the Modern Novel", Critiques and Essays in Modern Fiction: 1920-1951, ed. John W Aldridge, New York 1952, S. 43.

2) Sharon Spencer, Space, Time and Structure in the Modern Novel, New York University Press 1971, S. XVIII.

3) José Ortega Y Gasset, "La Doctrina del Punto de Vista", El Tema de Nuestro Tiempo en Obras Completas III, Madrid 1947 S. 200 ("The Doctrine of the Point of View", The Modern Theme, Harper & Row, New York 1961, S. 91f: "The persistent error that has hitherto been made is the supposition that reality possesses in itself, independently of the point of view from which it is observed, a physiognomy of its own. Such a theory clearly implies that no view of reality relative to any one particular standpoint would coincide with its absolute aspect, and consequently all such views would be false. But reality happens to be, like a landscape, possessed of an infinite number of perspectives, all equally veracious and authentic. The sole false perspective is that which claims to be the only there is.")

Wie der Raum habe sich auch das Verständnis der Zeit verändert. Das Zeitelement sei seit Einstein von Mathematikern und Physikern als die vierte Dimension erkannt worden, d.h. es sei abhängig und unzertrennbar vom dynamisch konzipierten Raum. Zeit sei somit weder objektiv (d.h. eine selbständige Dimension ausserhalb eines Beobachters oder im Verhältnis zu andern Objekten und Phänomenen) noch subjektiv (d.h. abhängig von einem Beobachter), sondern könne nur noch als ein Aspekt von Raum konzipiert werden. Romane, welche diese neue Zeitkonzeption verkörpern, bezeichnet Spencer als "architektonisch" -- im Kontrast zu den "linearen" traditionellen Romanen -- weil ihre Hauptcharakteristik struktureller Natur sei:

"Its goal is the evocation of the illusion of a spatial entity, either representational or abstract, constructed from prose fragments of diverse types and lengths and arranged by means of the principle of juxtaposition so as to include a comprehensive view of the book's subject. The "truth" of the total vision of such a novel is a composite truth obtained from the reader's apprehension of a great many relationships among the fragments that make up the book's totality."[4]

Das "lineare" Prinzip der Erzählung - Geschehen, welches durch logische Verbindungen vorwärts getrieben wird - sei im "architektonischen" Roman ersetzt durch das strukturelle Verfahren der Gegenüberstellung, d.h. das Nebeneinander von Prosastücken ohne kausale Verbindungen. Nimmt die Erzählung notwendigerweise eine lineare Form ein, weil sie von einem deutlichen Anfang zu einem deutlichen Ende führt, so kann bei Gegenüberstellung nicht von Anfang und Ende gesprochen werden, denn die freie Schöpfung der Verbindungen, welche durch die Juxtaposition ermöglicht wird,

---

) Sharon Spencer, a.a.O., S. XX.

ist unerschöpflich. Die dynamische Bewegung, welche aus dem Nebeneinander sich ausschliessender Elemente entsteht, macht es deutlich, dass sie nicht sukzessiv, sondern simultan gesehen werden wollen. Die Struktur der Simultaneität verhindert jedes Zeitkontinuum und bietet stattdessen eine Raumdimension, deren innere Dynamik aus der unerschöpflichen Verbindung seiner strukturellen Elemente sich herauskristallisiert.

Spencers Zitat ist eine exakte Beschreibung des strukturellen Aufbaus im Malte. Kriterien wie "chaotisch", "formlos" oder "kunterbunt" entstehen, wenn man den Roman mit den traditionellen Kriterien des chronologischen Nacheinander misst. Versteht man den Aufbau jedoch unter dem Prinzip der Verräumlichung, wird evident, dass "mosaikhaft" durchaus nicht so negativ ausgelegt werden muss, wie es bislang geschehen ist. Vielmehr ergeben die komplementären und kontrapunktischen Verhältnisse der nebeneinander aufgebauten Teile eine vielschichtige 'Wahrheit'.

Der Malte sei ein Werk, dessen Hauptthema die Zeit sei.[5] Dies ist aber gewissermassen in seiner Negation oder Überwindung zu verstehen. Eine Untersuchung des Textes ergibt, dass die einzigen Zeitangaben durch Wörter wie "jetzt", "damals", "später", "seither", "zu jener Zeit" praktisch ein 'normales' oder kontinuierliches Zeitverständnis gar nicht aufkommen lassen. Das Vermeiden eines klaren und chronologischen Zeitverständnisses muss folglich als intendiert betrachtet werden. Unterstrichen wird diese Auslegung durch die Episode des Ismael Kusmitsch, die sich als eine der wenigen direkt mit dem Thema Zeit befasst. Kusmitsch war auf die Idee verfallen, seine Lebensjahre in Sekunden auszurechnen und sein "riesiges

---

5) Ziolkowski, a.a.O., S. 7.

ebenskapital" auf eine Zeitbank zu bringen:

Aber da geschah etwas Eigentümliches. Es wehte plötzlich an seinem
esicht, es zog ihm an den Ohren vorbei... er begann zu verstehen,
ass das, was er nun verspürte, die wirkliche Zeit (v.m.h.) sei die
orüberzog. Er erkannte sie förmlich, alle diese Sekündchen, gleich
au, eine wie die andere, aber schnell, aber schnell...." (869)

ie Wörtlichnehmung der Metapher "die Zeit vorbeistreichen zu spüren"

etzt es in Verfremdung. Die Funktion der Verfremdung ist, das Phänomen

eit auf die von Kusmitsch perzipierte Essenz zu reduzieren. Die Erkenntnis,

elche der Erzähler aus der Betrachtung dieses Zeiterlebnisses gewinnt,

st im letzten Paragraphen dieser Episode enthalten und stellt die

eziehung zu Malte her[6]: "Ich erinnere mich dieser Geschichte so genau,

eil sie mich ungemein beruhigte." Was Malte beruhigte, ist die ästhetische

ösung, welche sich Ismael Kusmitsch für sein Leiden ausgesucht hat:

Und seither lag Ismael Kusmitsch. Er lag und hatte die Augen
eschlossen.... Und dann hatte er sich das ausgedacht mit den
edichten. Man sollte nicht glauben, wie das half. Wenn man
o ein Gedicht langsam hersagte, mit gleichmässiger Betonung
er Endreime, dann war gewissermassen etwas Stabiles da, worauf
an sehen konnte, innerlich versteht sich. Ein Glück, dass er
lle diese Gedichte wusste" (870).

egenüber dem schnellen Verstreichen der Zeit wird das Gedicht als

Stabiles", "worauf man sehen konnte", nämlich als Raum verstanden: der

oetische Raum des lyrischen Gedichts ist zeitlose Aussage, d.i. Erkenntnis.

er Prozess der Verräumlichung der Zeit geschieht,indem die Geschehnisse

icht hintereinander, sondern nebeneinander dargestellt werden, so dass

ie zeitliche Dimension der Vergangenheit, Gegenwart und Zukunft zu einer

euen Ordnung zusammengestellt werden. Der hierdurch erzielte Effekt

---

) Ziolkowski, a.a.O., S. 4.

der Gleichzeitigkeit oder 'Zeitlosigkeit' entspricht dem Modell, welches

der Grossvater Brahe für Malte darstellte:

"Die Zeitfolgen spielten durchaus keine Rolle für ihn, der Tod
war ein kleiner Zwischenfall, den er vollkommen ignorierte.
Personen, die er einmal in seine Erinnerung aufgenommen hatte,
existierten, und daran konnte ihr Absterben nicht das geringste
ändern. Mehrere Jahre später, nach dem Tode des alten Herrn,
erzählte man sich, wie er auch das Zukünftige mit demselben
Eigensinn als gegenwärtig empfand" (735).

Judith Ryan sagt von Maltes Bemühen um das angeblich 'verlorene

Erzählen', dass dieses "keine zeitlose Ganzheit heraufbeschwören (kann),

wie das zur Zeit des Grossvaters noch der Fall war."[7] Sie weist aber gar

nicht daraufhin, dass diese 'zeitlose Totalität' eigentlich nur im

Bewusstsein des Grossvaters existiert, aber nicht gezeigt wird. Malte

jedoch schwebt diese Zeitlosigkeit als Modell des Erzählens vor, als

Modell der Struktur des Erzählten, welches er in seinen Aufzeichnungen

ausführt. Sein Tagebuch ist so aufgebaut, dass sein Aufenthalt in der

Pariser Gegenwart mit Lektüren und Erinnerungen der Vergangenheit neben-

einander stehen. Wenn Geschehen 'in der Zeit' architektonisch, d.h. neben-

einander, aufgebaut ist, verliert es seine zeitgerichtete Natur und die

Eigenschaft der Unwiederbringlichkeit. Diskontinuität und Gegenüberstellung

sind die effektivsten Mittel, die lineare Erzählung aufzulösen und das

Geschehen durch räumliche Einheiten darzustellen:[8]

"Spatialization of time in the novel is the process of splintering
the events that, in a traditional novel, would appear in a narrative
sequence and of rearranging them so that past, present, and future

---

7) Vgl. Judith Ryan, a.a.O., S. 361.

8) Vgl. Joseph Frank, a.a.O., S. 192 und Arnold Hauser, "Space and Time in
the Film", The Social History of Art, reprinted in Film: A Montage of
Theories, ed. Richard Dyer Mac Cann, New York 1966, S. 199.

:tions are presented in reversed, or combined patterns: when this
. done, the events of the novel have been "spatialized", for the
:ctor that constitutes their orientation to reality is the place
h e r e   they occur, one of the most obvious effects to
. achieved by means of this process is simultaneity."[9]

Angelloz hat daraufhingewiesen, dass der <u>Malte</u> um einige Grundthemen
ugelegt sei: die Stadt, der Tod, die Kindheit, die Liebe.[10] Als über-
·eifender Bogen muss die Kunst hinzugefügt werden, wie das vierte Kapitel
·armachte. Diese Themen erscheinen wieder und wieder im Laufe des Buches,
·er immer unter einem neuen Aspekt. Erst die Zusammensetzung der ver-
:hiedenen Perspektiven ergibt das Gesamtbild: "Reality happens to be,
·ke a landscape, possessed of an infinite number of perspectives, all
·ually veracious and authentic. The sole false perspective is that which
·aims to be the only there is."[11] In diesem Aufbau erzeugen die Gesetze
·r strukturellen und thematischen Kontrapunktik und Komplementarität
·e dynamische Bewegung der Aufzeichnungen: der Ort   w o   gewisse
·emenkreise entwickelt werden, ergibt die Evidenz einer Progression. Im
·sten Teil gruppieren sich negative Aspekte der Realität wie Armut,
·end und Tod um das Thema Angst. Die Aufzeichnungen beginnen mit Maltes
·uszug aus seiner Heimat und der erste Teil endet mit den Teppichen der
·ame à la Licorne, in welchem das Thema der 'offenen Liebe' in die Kunst
·hoben ist. Im zweiten Teil wird die 'offene Liebe' zum Hauptthema.

· Sharon Spencer, a.a.O., S. 156.

·) Angelloz, a.a.O., S. 232.

·) Ortega y Gasset, a.a.O., S. 92.

Thematische Anklänge an den ersten Teil sind in diesem Teil gesteigert,
indem das vorherige Negative nun jeweils ein Positives geworden ist,
'Ganzheitliches' darstellend. Angst, Elend, Tod beherrschen die ersten
sieben Eintragungen. Knappe parataktische Sätze -- "Ich bin ausgewesen.
Ich habe gesehen: Hospitäler. Ich habe einen Menschen gesehen, welcher
schwankte und umsank." Oder "Elektrische Bahnen rasen läutend durch
meine Stube. Automobile gehen über mich hin. Eine Tür fällt zu... Jemand
ruft. Leute laufen, überholen sich...." unterbrochen durch rhetorische
Ausrufe und Fragen des Tagebuch-Ichs wie "dahinter" oder "weiter" sind
Ausdruck des Fragmentarischen der Realität und der sich steigernden
Angst des Ichs. Aber schon in der Beschreibung des Todes in der Gross-
stadt ist der Ton ein ganz anderer. Zusammen mit dem 'neuen Sehen' (4.
und 5. Aufz) setzte die Forderung ein, 'etwas gegen die Furcht zu tun'
(6.). Der sarkastische Ton, mit welchem der Tod (6. und 7. Aufz) behandelt
wird, bedeutet eine gewisse Distanzierung zum vorherigen lähmenden Entsetzen: "wenn so ein kleiner Sterbender es sich in den Kopf gesetzt hat,
geradenwegs in Gottes Hotel zu wollen...." oder "Es ist zu bemerken, dass
diese verteufelten kleinen Wagen (Totenwagen) ungemein anregende Milch-
glasfenster haben, hinter denen man sich die herrlichsten Agonien vorstellen
kann" (6, 713). Die bewusste Distanzierung ist ein erster Schritt, die
Furcht zu bekämpfen. Kontrapunktisch zur Gegenwart steht plötzlich die
Vergangenheit (8. und 9.) da. Im Kontrast zum Massentod im Hotel Dieu --
"jetzt wird in 559 Betten gestorben" -- steht der individuelle 'eigene Tod'
des Grossvaters Brigge und all der "andern, die ich gesehen oder von denen

ch gehört habe: es ist immer dasselbe. Sie alle haben einen eigenen Tod

ehabt" (9, 720). Typisch für Maltes Methode ist die Wiederholung bestimmter

hemen. Das erste Mal wird eine Thema nur nebenbei erwähnt, um in einer

ächsten Aufzeichnung zum Hauptthema zu werden: Die erste Aufzeichnung

rwähnte u.a. "ein Sterbender, der schwankte und umsank". Die nächsten

intragungen behandeln das Sterben von verschiedenen Perspektiven: Massen-

terben und Tod der Gegenwart (6-7), individuelles Sterben der Vergangen-

eit (8-9). Die verschiedenen Aspekte des Themas fördern in Malte ein

ieferes Verständnis des Phänomens 'Tod'. Ebenfalls wird die Aufforderung

etwas gegen die Furcht zu tun' (6.) mit 'schreiben' (10.) und dann mit

schriftstellerischer Tätigkeit' (14.) eingekreist. Zwischen der 10.

nd der 14. Eintragung, in welchen Malte von seiner gegenwärtigen Arbeit

pricht, stehen drei Aufzeichnungen (11. - 13.), die wie 'zeitlose

ilder'[12] anmuten. Obzwar auch Pariser Szenen, ist in ihnen das fragmen-

arische Sehen überwunden, denn alles "bildet eine Vollzähligkeit" (siehe

apitel IV, S. 77f).

In der 14. Aufzeichnung[13] stellt Malte sein zukünftiges Programm

uf: Künstlerisches Schaffen kann nur gelingen, wenn es auf kritische

rkenntnis des Materials aufbaut. Nicht nur die Erlebnislyrik -- im Sinne

on Selbstbekenntnis -- lehnt Malte ab, auch die Handlung, welche vom

Dritten", dem Erzähler bzw. Dramaturgen, abhängig ist:

---

2) Hoffmann, a.a.O., S. 211 spricht lediglich von "Stimmungsbildern", misst ihnen aber keine bewusst künstlerische Gestaltung bei.

3) Ebd., S. 212 weist auf die zusammenfassende Natur von Aufzeichnung 14 und 22 hin.

"Und als ich mein Drama schrieb, wie irrte ich da. War ich ein Nachahmer
und Narr, dass ich eines Dritten bedurfte, um von dem Schicksal zweier
Menschen zu erzählen.... Und ich hätte doch wissen müssen, dass dieser
Dritte, der durch alle Leben und Literaturen geht, dieses Gespenst
eines Dritten, der nie gewesen ist, keine Bedeutung hat, dass man
ihn leugnen muss... Wie, wenn ihn, zum Beispiel der Teufel geholt
hätte? .... Alle öffentlichen Aufpassereien suchen ( ) in entlegenen
Weltteilen nach dem Unersetzlichen, der die Handlung selbst war"(v.m.h.)
(14, 725).

Die Struktur des Malte ist ein Resultat dieser Einsichten: Sein

Tagebuch soll weder persönliche Bekenntnisse noch äusserliche, kontinuier-

liche Handlung darstellen wie das traditionelle Tagebuch. Der junge Aus-

länder Brigge, der "diesen beunruhigenden Gedanken gehabt hat" -- nämlich

mit der Tradition zu brechen -- "wird sich fünf Treppen hoch hinsetzen

müssen und schreiben, Tag und Nacht, ja er wird schreiben müssen, das

wird das Ende sein:" (14, 728).

Die paradoxe Aussage -- unterstrichen durch den Doppelpunkt ("das

wird das Ende sein:"), der auf Anfang hindeutet -- beginnt seine Kind-

heitserinnerungen. Ende also des einfachen Registrierens der Realität und

Beginn der künstlerischen Umgestaltung. Ohne logische Überleitung setzen

dann auch Maltes Kindheitserinnerungen ein, von denen er in der 10. Auf-

zeichnung sagte: "hätte man doch wenigstens seine Erinnerungen. Aber wer

hat die. Wäre die Kindheit da, sie ist wie vergraben" (721). In der 15.

Aufzeichnung sind sie zwar dann das Hauptthema, doch erweisen sie sich

-- komplementär zum Anfang -- so fragmentarisch wie die Pariser Realität:

"Urnekloster, der Familienbesitz ... so wie ich es in meiner kindlich
gearbeiteten Erinnerung wiederfinde, ist ( ) kein Gebäude; es ist
ganz aufgeteilt in mir; da ein Raum, dort in Raum und hier ein
Stück Gang, das diese beiden Räume nicht verbindet, sondern für sich,
als Fragment...." (15, 729).

rotz des Fragmentarischen, welches die Zusammenhanglosigkeit der Dinge
etont, stellt Malte in dieser Aufzeichnung zwei wichtige Modelle für
ein künstlerisches Schaffen auf: das Grossvater-Modell der Gleich -
eitigkeit und das Modell seiner Familie "Unsichtbares sichtbar zu machen",
urch Phantasie und Vorstellungskraft das Fragmentarische zu durchdringen
nd eine Welt zu gestalten, eine abgeschlossene Totalität. Dies ist die
edeutung -- nicht erläutert, sondern bildlich dargestellt -- all jener
pisoden, wo Unsichtbares erscheint: Statt der "Beschränkung auf ein
ldes Nachahmen" versetzt die "Fülle seiner Erfindungen (Malte) frei und
nbegrenzt in seinen Möglichkeiten" (54, 883). Das Zitat stammt aus der
eschichte des Grischa Otrepjow, des falschen Zaren. Es ist die Einsicht,
ie Malte aus jener Geschichte zieht: dass die objektgerichtete Liebe
ie das objektgerichtete Nachahmen der Kunst begrenzt, dagegen die
offene Liebe' wie die "Fülle der Erfindungen" seiner Vorstellungskraft
hn "frei und unbegrenzt in seinen Möglichkeiten" machen.[14] Malte
eschliesst dies Episode des falschen Zaren mit "Dies, scheint mir, wäre
u erzählen gewesen" (54,883).

Kontrapunktisch zur Kindheitserinnerung setzt von der 16. zur 21.
ufzeichnung wieder die Gegenwart ein und zwar mit erhöhten Angstaus-
rüchen (19. - 20.). Doch mit dem Thema Angst hatte auch das des neuen
ehens eingesetzt und einen Umbruch in Maltes Bewusstsein initiert, eine
eränderung in seiner Weltschau:

---

4) Vgl. Judith Ryan, a.a.O., S. 349f, die diese Vorstellungskraft Maltes
  als negative Kategorie bewertet, indem sie ihn nicht zum 'richtigen
rzählen' -- d.h. chronologischen Erzählen -- kommen liesse, sondern sein
rzählen " subjektiven Vorstellungen" verhaftet bleibe.

"Ich glaube, es lässt sich nicht anders sagen. Ich bin diesen
Versuchungen (von Paris) erlegen, und das hat gewisse Veränderungen
zur Folge gehabt, wenn nicht in meinem Charakter, so doch in meiner
Weltanschauung" (22, 775).

Es ist gerade in dieser 22. Aufzeichnung, die als Briefentwurf verfasst

ist, in welcher Malte von seiner Erkenntnis des Baudelaire Gedicht

spricht, der Einsicht, dass es für den Künstler keine "Auswahl und Ablehnung

giebt". Es ist die zusammenfassende Formel der Einsichten, welche er von

den Fortgeworfenen (16.), dem blinden Choufleur-Verkäufer, der abge-

rissenen Mauer und dem Sterbenden der Crèmerie (18.) gewonnen hatte:

"Glaube nur nicht, dass ich hier an Enttäuschungen leide, im
Gegenteil. Es wundert mich manchmal, wie bereit ich alles
Erwartete aufgebe für das Wirkliche , selbst wenn es arg ist" (Ebd.).

So beendet Malte seine Reflexionen in dem Briefentwurf. Noch in der 18.

Aufzeichnung war die "vollkommen andere Auffassung aller Dinge" die

ihm "ein neues Leben voll neuer Bedeutungen" schenkt, nicht voll in

sein Bewusstsein aufgenommen, ja er fürchtet sich masslos:

"Was soll ich in einer andern (Welt)? Ich würde so gern unter
den Bedeutungen bleiben, die mir lieb geworden sind... (Doch) Ich
bin der Eindruck, der sich verwandeln wird. Oh, es fehlt nur ein
kleines, und ich könnte dies alles begreifen und gutheissen.
Nur ein Schritt, und mein tiefes Elend würde Seligkeit sein" (18, 756).

In seiner Angst sucht Malte Hilfe bei andern, weil er sich selbst

die notwendige Gestaltungskraft nicht zutraut. In Baudelaires Worten

drückt er seinen Wunsch nach künstlerischen Schaffen aus: "Et vous,

Seigneur mon Dieu! accordez-moi la grâce de produire quelques beaux

vers qui me prouvent à moi-même que je ne suis pas le dernier des hommes..."

(Ebd.). Nach dem Briefentwurf jedoch - in welchem er seine neue Weltan-

schauung bewusst akzeptiert - kann er aus eigener Kraft schöpfen: "O

Nacht ohne Gegenstände, O stumpfes Fenster hinaus, o sorgsam verschlossene

ren; Einrichtungen von alters her, übernommen, beglaubigt, nie ganz
rstanden. O Stille im Stiegenhaus.... O Mutter..." (23, 777).

Im ersten Teil handelte es sich hauptsächlich darum, gewisse Thesen
r neuen Ästhetik zu akzeptieren. Ein Prozess der kritischen Bewusst-
rdung, der alte Werte verändert -- "eine veränderte Welt" --. Das neue
hen der Grundthemen der Existenz (Tod, Krankheit, Elend, das Zusammen-
nglose der Existenz) im Kontrast zur Kunst (thematisiert durch 'die
fene Liebe' oder 'totales Hingegebensein, Ganzheit) verändert des
nstlers Haltung der Kunst gegenüber. Abwehr geht über zu Akzeptierung:
ehen' wird zu 'Begreifen' und 'Einsehen': "Eben warst du noch Bettine,
h seh dich ein" (57, 897); "Denn dies begriff ich schon damals, dass
chts an ihm nebensächlich sei" (59, 901); "Nun begreift er momentan
e dynamische Bedeutung jener frühen Welteinheit.... Wie er dies denkt,
r Einsame in seiner Nacht, denkt und einsieht...." (68, 930); "Einmal
ch, Abelone, in den letzten Jahren fühlte ich dich und sah dich ein..."
9, 931). Die Beispiele zeigen die erkennende und akzeptierende Haltung
s Bewusstseins, die typisch für den ganzen zweiten Teil ist.

Sprachlich analog zur ersten Aufzeichnung -- "dass man lebte, das
r die Hauptsache" -- doch gleichzeitig thematisch kontrapunktisch, heisst
in der ersten Aufzeichnung des zweiten Teils: "Nur dass gezeichnet wird,
s ist die Hauptsache" (39, 831). Gegenüber der existenziellen Angst des
sten Teils ist hiermit die Thematik der Kunst, und zwar des künstlerischen
haffens, für den zweiten Teil abgesteckt. Der erste Teil endete mit den
ppichen der Dame à la Licorne -- 'offene Liebe' zur Kunst erhoben --,
r zweite Teil beginnt damit. Gleichzeitig wird das Thema des Auszugs

und der Veränderung wieder aufgenommen. Gleich die nächste Aufzeichnung
beginnt mit: "Aber nun, da so vieles anders wird, ist es nicht an uns,
uns zu verändern?" (40, 834). Das Stück "echter Spitze", mit dem die
Liebe in dieser Aufzeichnung wie zufällig verglichen wird -- "und so
ist sie (die Liebe) uns unter die Zerstreuungen geglitten, wie in eines
Kindes Spiellade manchmal ein Stück echter Spitze fällt (ebd.) --
ist das Hauptthema der folgenden Eintragung: "Nun weiss ich auch, wie
es war, wenn Maman die kleinen Spitzenstücke aufrollte" (41, 834). Die
Leistung der Frauen und Liebenden, "Totalität" herzustellen, wird mit
dem Schaffensprozess verglichen (vgl. Kapitel IV, S. 91f).

Die 44. Aufzeichnung stellt in gewisser Weise eine Parallele zur 15.
dar, in welcher Malte das Zeitmodell seines Grossvaters aufstellte. Hier
dient der Grossvater Malte wieder zum Modell als einer, der das Erzählen
noch gekonnt haben soll:

"Diejenigen, die behaupteten, dass Graf Brahe seine Memoiren schriebe,
hatten nicht völlig unrecht. Nur dass es sich nicht um politische
oder militärische Erinnerungen handelte, wie man mit Spannung
erwartete. "Die vergesse ich", sagte der alte Herr kurz, wenn
ihn jemand auf solche Tatsachen hin anredete. Was er aber nicht
vergessen wollte, das war seine Kindheit" (44, 846).

Drei Punkte scheinen dem alten Herrn bei seiner schriftstellerischen
Arbeit von Wichtigkeit zu sein: a) dass seine Einbildungskraft stark genug
sei, dem Leser das Erzählte "sichtbar" zu machen: "Und werden sie es
überhaupt _sehen_ was ich da sage" (ebd.); b) dass das Erzählte nichts
Erfühltes, sondern Durchlebtes sei: "das Blut, darauf kommt es an, da muss
man drin lesen können" (44, 848). In der 14. Aufzeichnung, wo Malte versucht , sein zukünftiges dichterisches Programm aufzustellen, hiess es:
"Denn die Erinnerungen selbst _sind_ es noch nicht. Erst wenn sie Blut werden

n uns, Blick und Gebärde, namenlos und nicht mehr zu unterscheiden von

ns selbst...." (14, 725); c) Im engsten Zusammenhang mit den zwei vor-

ergehenden Punkten stehen die Erinnerungen der Kindheit. Das Verständnis

er Kindheit bürgt für ein Verständnis der eigenen Persönlichkeit, der

owohl menschlichen als auch künstlerischen Kräfte. Die Wiederbelebung

er Erinnerungen durch die Einbildungskraft lässt den Grossvater seine

indheit, "jene sehr entfernte Zeit" nun "gesteigert" daliegen. Die

egende nimmt diesen Punkt u.a. in ähnlichem Wortlaut wieder auf.

Nicht überraschend folgen darauf zwei Aufzeichnungen, die in Maltes

igene Vergangenheit zurückführen. Beim Tode seines Vaters, dessen Herz

urchstochen wird, erinnert er sich an sein eigenes Herz: "Es war schon

abei von Anfang anzufangen" (45, 855). Der Schluss wird wiederum zu

eginn des folgenden Abschnitts aufgenommen und spezifiziert, also "von

nfang anzufangen", um das zu ordnen, "was geordnet sein wollte", nämlich -

nter Anleitung des grossväterlichen Modells - die Kindheit:

"Der Verdacht stieg in mir auf, dass noch keiner dieser Einflüsse
nd Zusammenhänge wirklich bewältigt worden war. Man hatte sie
ines Tages heimlich verlassen, unfertig wie sie waren. Auch
ie Kindheit würde also gewissermassen noch zu leisten sein" (46, 856).

er Tod des Vaters beschwört dieses Thema nochmals in Maltes Bewusstsein

erauf. Angst und Tod intensivieren sich zu "Todesfurcht". Doch die

eflexionen Maltes, die in den ersten Aufzeichnungen begannen - "seitdem

abe ich viel über die Todesfurcht nachgedacht ... nicht ohne gewisse

igene Erfahrungen dabei zu berücksichtigen" (47, 859) -- haben seine

instellung verändert, wie u.a. besonders die 49. Eintragung des Ismael

usmitsch verdeutlicht (siehe S. 103f).

Die im letzten Drittel des Tagebuches einsetzenden Lektüren des
"kleinen grünen Buches" seiner Kindheit stellen Beispiele dar, in denen
Malte Totalität erkennt. Die Fortgeworfenen des Anfangs, die dort als
"Schalen" charakterisiert wurden, die das Schicksal ausgespien hatte,
sind jetzt "fast wie Ewige" (60, 904). Der Zeitungsverkäufer am Jardin
Luxembourg, einer jener Elendsgestalten, wird von Malte als Kunstwerk
gesehen: "denn dies begriff ich schon damals, dass nichts an ihm neben-
sächlich sei" (59, 901). Er erinnert Malte an "Christusse aus streifigem
Elfenbein" oder an eine "Pietà". Auch haben diese Elenden jetzt "Stärke"
und "Mass", welches - nebst ihrer Eigenschaft des totalen Hingegebenseins
in ihr Elend "ohne Unterschiede zu machen" - ihre Verbindung zu den grossen
Liebenden herstellt, die eine "neue Masseinheit" (68, 930) erzeugen, wie
"Ewige" und "Natur" sind, indem sie "Raum" entwerfen. Von Bettina sagt
Malte: "Denn diese wunderliche Bettine hat mit allen ihren Briefen Raum
gegeben, geräumigste Gestalt. Sie hat von Anfang an sich im Ganzen so
ausgebreitet, als wär sie nach ihrem Tod. Überall hat sie sich ganz weit
ins Sein hineingelegt, zugehörig dazu, und was ihr geschah, das war ewig
in der Natur" (57, 897). Von Sapphos "ins unendliche hinaus gespannte
Gestalt" sagt Malte, dass in ihrer "neuen Masseinheit von Liebe und Herz-
leid.... ihr Herz zur Natur" wurde (68, 931). Hoffmann stellt die Episode
des geisteskranken Königs Karl VI. ins Zentrum des letzten Drittels, indem
sich in seiner Figur -- welche die Ordnung der Kunst dem Chaos der Wirklichkeit vorzog -- alle Themen aufgenommen und an einer Figur verdichten.[15]
Im Grund stellen alle Aufzeichnungen dieses Teils verschiedene Perspektiven
von Totalität dar. Aber diese Totalität erstrebt kein universales Konzept

---

15) Vgl. Hoffmann, a.a.O., S. 227.

der Ganzheitlichkeit, wie Seifert argumentiert;[16] dass diese schon seit

dem antiken Theater der Griechen nicht mehr existiert, hat Malte in der

58. Aufzeichnung begriffen:

"Es beirrt ihn nicht, dass jene konsequente Kultur mit ihren
gewissermassen vollzähligen Versichtbarungen für viele spätere
Blicke ein Ganzes zu bilden schien und ein im Ganzen Vergangenes.
Zwar ward dort wirklich des Lebens himmlische Hälfte an die halbrunde Schale des Daseins gepasst, wie zwei volle Hemisphären zu
einer heilen, goldenen Kugel zusammengehen. Doch dies war kaum
geschehen, so empfanden die in ihr eingeschlossenen Geister diese
restlose Verwirklichung nur noch als Gleichnis; das massive Gestirn
verlor an Gewicht und stieg auf in den Raum, und in seiner goldenen
Rundung spiegelte sich zurückhaltend die Traurigkeit dessen, was
noch nicht zu bewältigen war" (68, 929).

Vielmehr weiss Malte, und dieses will das Tagebuch zeigen, dass es nur

individuelle Perspektiven von Totalität gibt, deren mosaikartiges

Nebeneinander im Aufbau des Werkes einen abgerundeten Erkenntnisraum

schaffen.

---

16) Vgl. Seifert, a.a.O., S. 270.

Struktur der Nausée

Gegenüber dem 'architektonischen' Aufbau des Malte --Verräumlichung durch Gegenüberstellung -- ist die Struktur in La Nausée chronologisch linear, wie dies vom traditionellen Tagebuch erwartet wird.[1] Die Auf - zeichnungen beginnen am 29. Januar und enden am 26. Februar. Dies ent- spricht Sartres Überzeugung, dass das wesentliche Merkmal der erzählenden Fiktion, welche Roman bezeichnet wird, die Darstellung der Zeit sei.[2] Er kritisiert z.B. François Mauriac dafür, dass er in La Fin de la Nuit sich auf der Ebene des allwissenden Erzählers bewege, wodurch er seinen Charakteren die ihnen eigene Zeitdimension raube.[3] Gleichfalls zaudert er, Camus' Etranger als Roman zu bezeichnen, weil dieser dem Leser nichts weiter biete als "une succession de présents inertes", wo doch der Roman "exige und durée continue, un devenir, la présence manifeste de l'irréver- sibilité du temps".[4] Die 'Unwiederbringlichkeit der Zeit' -- welche Rilke im Malte zu überwinden trachtet -- ist eine der wichtigsten Merkmale der Sartreschen Fiktionstechnik. Sie verleiht jedem Akt einen entscheidenden

---

1) Vgl. Forstreuter, a.a.O., S. 98.

2) EM Forster schreibt in diesem Sinne: "It is never possible for a novelist to deny time inside the fabric of the novel..." (Aspects of the Novel, Harcourt, Brace & Co., New York 1927, S. 29). Siehe dazu auch: Jean Pouillon, Temps et roman, Paris 1946, S. 22, 31ff; und Ian Watt, The Rise of the Novel, London 1957, S. 21f.

3) Sartre, Situations I, S. 56.

4) Ebd., S. 121.

harakter: ".... il m'est impossible de 'reprendre mon coup'; c'est

'irréversibilité de la temporalité qui me l'interdit...."[5] Um den

iguren vollkommene Freiheit zur Entscheidung geben zu können, d.h.

hre eigene Existenz und Dasein zu gestalten, muss der Roman in der

egenwart erzählt werden, denn -- so argumentiert Sartre -- die Gegen-

art ist die Zeit des Bewusstseins.[6] Die Anordnung der Geschehnisse in

a Nausée ist somit chronologisch, genau in der Reihenfolge, wie Roquentin

ie erlebt.

Nur die Dimension der Gegenwart kann, Sartre zufolge, das Bewusstsein

xistenziell erfahren. Die andern zwei Dimensionen sind abstrakte,

xistenziell nicht erfahrbare Kategorien, wie Roquentin an der Alten

eststellt, die er beobachtet, während sie über den Marktplatz geht:

Je vois l'avenir. Il est là,posé dans la rue, à peine plus pâle
ue le présent. Qu'a-t-il besoin de se réaliser? Qu'est-ce que
a lui donnera de plus? La vieille s'éloigne en clopinant, elle
'arrête, elle tire sur une mèche grise qui s'échappe de son
'ichu. Elle marche, elle était là, maintenant, elle est ici....
e ne sais plus où j'en suis: est-ce que je vois ses gestes,
st-ce que je les prévois? Je ne distingue plus le présent
u futur et pourtant ça dure, ça se réalise peu à peu, la
ieille avance dans la rue déserte; elle déplace ses gros
ouliers d'homme. C'est ça le temps, le temps tout nu, ça vient
entement à l'existence, ça se fait attendre et quand ça vient,
n est écoeuré parce qu'on s'aperçoit que c'était déjà là depuis
ongtemps" (50).

Gegenüber Ismael Kusmitsch, der die Zeit buchstäblich an seiner Wange

orbeistreicht fühlt, verweist Roquentin darauf, dass das Bewusstsein nur

5) Sartre, L'Etre et le Néant, S. 631.

6) In seiner Studie über John DosPassos' 1919 schreibt Sartre: "On vit
dans le temps, on compte dans le temps. Le temps se déroule au présent,
comme la vie" (Situations I, S. 16)

das Gegenwärtige existenziell erfahren kann; aber nicht den Übergang

von Gegenwart in die Zukunft -- "le passage" oder das Verstreichen der

Zeit --:

"Le temps s'était arrêté.... Et puis, tout d'un coup ça s'est mis
à remuer devant mes yeux, des mouvements légers et incertains:
le vent secouait la cime de l'abre.... Je me disais, en suivant
le balancement des branches: les mouvements n'existent jamais
tout à fait, ce sont des passages, des intermédiaires entre deux
existences, des temps faibles. Je m'apprêtais à les voir sortir
du néant, murir progressivement, s'épanouir: j'allais enfin
surprendre des existences en train de naître.
Il n'a pas fallu plus de trois secondes pour que tous mes
espoirs fussent balayés. Sur ces branches hésitantes qui tatonnaient
autour d'elles en aveugles, je n'arrivais pas à saisir de "passage"
à l'existence. Cette idée de passage, c'était autre chose qu'un
arbre. Mais c'était tout de même un absolu. Une chose" (186f).

Weder die Bewegung der Alten über den Marktplatz noch diejenige des

Baumes im Wind vermitteln Roquentin konkrete Erkenntnis des Zeitflusses:

Er stellt fest: Zeit ist, und Sein ist. Zeit hat kein Werden und Vergehen

wie die Existenz.

Innerhalb der chronologischen Anordnung des Tagebuches lässt

sich in La Nausée auch eine kreisförmige Raumstruktur erkennen. Sartres

Romanraum -- genau wie die Romanzeit -- ist durch das Bewusstsein der

Figur vermittelt: "L'espace romanesque devant être rendu à travers une

conscience, sans séparation entre la perception et le perçu."[7] Der

Raum wird durch Roquentins 'Wandern' innerhalb Bouvilles dargestellt:

sein Pensionszimmer, sein Lieblingscafé, sein täglicher Arbeitsort : die

Bibliothek, Pension, café, Bibliothek, etc... Dies Wandern entspricht der

---

7) Gerald Prince, Metaphysique et Technique dans l'oeuvre romanesque de Sartre, Librairie Droz, Genève 1968, S. 87.

eisenden Bewegung seines Bewusstseins, welches in immer erneuten Ansätzen

n Thema einkreist, bis er zur Erkenntnis desselben gelangt (z.B. das

ema Zeit: S. 37, 50ff, 60-62, 84, 186f; das Thema Abenteuer: 57ff, 60-62,

-83, 83-85, 202-211). Malte bedient sich eines ähnlichen Verfahrens.

oquentins Bewusstsein ist zu Anfang neblig und undifferenziert: "La

upart du temps, faute de s'attacher à des mots, mes pensées restent des

ouillards" (17). Am Nebeltag zu Bouville -- etwa gegen Mitte der Auf-

eichnungen -- nachdem sich Roquentins Bewusstsein in alternierenden

eflexionen bemüht hat, die Bereiche der Existenz und der Kunst zu

egreifen, wird ihm die universelle Bedeutung von Bewusstsein klar: "Je

herchai autour de moi un appui solide, une défense contre mes pensées.

n'y en avait pas: peu à peu, le brouillard s'était déchiré, mais

uelque chose d'inquiétant restait à trainer dans la rue. Peut-être pas

e vraie menace: c'était effacé, transparent" (109). Das Transparente,

urchsichtige charakterisiert Sartres luzides Bewusstsein.[8] Es wird

ls Drohung empfunden -- wenngleich "peut-être pas une vraie menace" --

eil es als 'Nichts' eine unstabilisierende Funktion ausübt.[9]

) Eugenia N Zimmerman, Metaphysics and Technique in the Expository Prose
of Jean-Paul Sartre, Dissertation of the University of Wisconsin 1965,
S. 255: "transparent is used to describe consciousness." Vgl. auch
S. 238 in La Nausée: "lucide, immobile, déserte, la conscience est
posée entre les murs...."

) Sartre, la Transcendance de l'Ego, Paris, Gallimard 1936, S. 79: "la
conscience transcendentale est une spontanéité impersonnelle. Elle se
détermine à l'existence à chaque instant, sans qu'on puisse rien
concevoir avant elle. Ainsi chaque instant de notre vie consciente nous
revèle une création ex nihilo. Non pas un arrangement nouveau, mais une
existence nouvelle. Il y a quelque chose d'angoissant pour chacun de nous,
à saisir ainsi sur le fait cette création inlassable d'existence dont nous
ne sommes pas les créateurs."

Die kreisende Bewegung in La Nausée[10] spiegelt den Kreis von Roquentins
Reflexionen. Gleichsam ist diese Bewegung durch den Raum dargestellt, so dass
dieser, das Bewusstsein des Helden wiederspiegelnd, funktionell in das
Geschehnis integriert wird. Der traditionelle Beobachter des Romans --
"immobile dans le temps et l'espace, est remplacé par une 'caméra' animée"[11]
-- wird durch die bewegliche Perspektive des Helden ersetzt: dazu gehören
Kunstwerke, Reisen, Dialoge, etc... Der Raum, dargestellt durch diese
Dinge, hat die Funktion, die Progression der Bewusstseinsentfaltung
zu visualisieren. Einer der zeitgenössischen Verfechter des Romans
als Raumstruktur, Michel Butor, sagt vom Raum im Roman: "Lorsqu'on
traite ces lieux dans leur dynamique, lorsqu'on fait intervenir les
trajets, les suites, les vitesses qui les relient, quel accroissement!
Quel approfondissement aussi, puisque nous retrouvons alors clairement
ce theme du voyage...."[12] Anstatt des Wanderns und Reisens durch Länder
und Städte, wie es noch bis ins 19. Jahrhundert die Bildungsromane kenn-
zeichnet (Tiecks Sternbalds Wanderungen; Goethes Wanderjahre; Kellers
Grüner Heinrich, u.a.) geschieht dies Wandern in La Nausée auf kleinstem
Raume.

Die Funktion der Kunstobjekte innerhalb La Nausée ist eindeutig. Die
Bilder der Galerie, Balzacs Eugénie Grandet, die Jazzmelodie: alle
stellen sie einen Erkenntnisraum dar:

---

10) Pollmann, a.a.O., S. 109 spricht von zyklischen Bewegungen die zwischen
    Initiation und Versuchungen liegen, und die in der "Einführung in das
    'Geheimnis' der Existenz zu einem festen Ritus verwoben werden."
11) Prince, a.a.O., S. 87.
12) Butor, "L'espace du roman", Essais sur le roman, Gallimard, Paris 1960, 57.

)ans cette puissance d'un lieu par rapport à un autre, les oeuvres
'art ont toujours joué un rôle particulièrement important, que ce
)it peinture ou roman, et par conséquent le romancier, s'il veut
iritablement eclairer la structure de notre espace, est obligé
e les faire intervenir. Les proprietés qu'il sera capable de mettre
1 evidence à cet egard dans les oeuvres d'autrui, un autrui réel
J fictif, il se les appropriera de plusieurs façons: non seulement
e que ces oeuvres réalisent sera realisé par leur intermédiaire
ins la sienne, mais il sera capable d'en tirer des leçons, et
ir la suite d'utiliser sa propre expérience pour poursuivre leur
<egèse. Elles seront donc, en ce domaine de l'espace comme en
int d'autres, un outil de la reflexion, un point sensible par
equel l'auteur inaugure sa propre critique."[13]

Die Dichotomie zwischen Existenz und Kunst kommt Roquentin in der

etrachtung und Reflexion von Kunstwerken zum Bewusstsein. In diesem

inne ist das strukturelle raum-zeitliche Nebeneinander zweier Gespräche

J verstehen. Es erinnert stark an die Szene in <u>Madame Bovary</u>, wo das

iebesgespräch zwischen Emma und ihrem Liebhaber zur gleichen Zeit wie

ie landwirtschaftliche Anrede des Bürgermeisters dargestellt wird.

)quentin sitzt im Restaurant Vézelize und liest <u>Eugénie Grandet</u>,

ihrend er einem Ehepaar beim Sonntagsessen zuhört:

Jgénie lui baisa la main en isant: "Combien tu es bonne, ma nère maman! es paroles firent rayonner le ieux visage maternel flétri par e longues douleurs: "Le trouves- J bien?" demanda Eugénie. ne Grandet ne repondit que par n sourire; puis, après un oment de silence, elle dit a oix basse: L' aimerais-tu donc déjà? Ce erait mal. Mal, reprit Eugénie, pourquoi? l te plaît, il plaît à Nanon, ourquoi ne me plairait-il pas? iens, Maman, mettons la table our son déjeuner." lle jeta son ouvrage, sa mère n fit autant en lui disant:	Mes voisins étaient demeurés silencieux depuis mon arrivée, mais, tout d'un coup, la voix du mari me tira de ma lecture. Le mari, d'un air amusé et mystérieux: "Dis donc, tu as vu?" La femme sursaute et le regarde, sortant d'un rêve. Il mange et boit, puis reprend du meme air malicieux: "Ha, ha!" Un silence, la femme est retombée dans son rêve. Tout à coup elle frissonne et demande: -Qu'est-ce que tu dis? -Suzanne hier. -Ah! oui, dit la femme, elle avait été voir Victor. -Qu'est-ce que je t'avais dit?" La femme repousse son assiette d'un

---

3) Ebd., S. 58.

"Tu es folle!"
Mais elle se plut à justifier
la folie de sa fille en la
partageant.
Eugénie appela Nanon.
"Quoi, que voulez-vous encore,
Mamselle?
-Nanon, tu auras bien de la
crème, pour midi?
-Ah! pour midi, oui, répondit
la vieille servante.
-Eh bien, donne-lui du café
bien fort, j'ai entendu dire à
M. des Grassins que le café se
faisait bien fort à Paris. Mets-
en beaucoup.
-Et ou voulez-vous que j'en
prenne?
-Achètes-en.
-Et si Monsieur me rencontre?
-Il est à ses prés....

air impatienté.
"Ce n'est pas bon."
Les bords de son assiette sont garnis
des boulettes de viande grise qu'elle
a recrachées. Le mari poursuit son
idée:
"Cette petite femme-là..."
Il se tait et sourit vaguement. En
face de nous le vieil agent de change
caresse le bras de Mariette en soufflant
un peu. Au bout d'un moment:
"Je te l'avais dit, l'autre jour.
-Qu'est-ce que tu m'avais dit?
-Victor, qu'elle irait le voir.
Qu'est-ce qu'il y a, demande-t-il
brusquement d'un air effaré, tu n'aimes
pas ça?
-Ce n'est pas bon.
-Ça n'est plus ça, dit-il avec
importance, ça n'est plus comme du temps
de Hécart. Tu sais où il est, Hécart?

Die strukturelle Gegenüberstellung selbst -- Balzacs Roman auf Seite 72,

das Ehepaar beim Mittagsessen auf Seite 73 in La Nausée -- übernimmt die

Bedeutung: einerseits sinnvolle Notwendigkeit der Gestaltung der Sprach-

elemente in der Kunst; andererseits die Sinnlosigkeit und Kommunikations-

unfähigkeit der Sprache in der Existenz. Frage und Antwort des Gesprächs

zwischen Mutter und Tochter bringen in kontinuierlicher, zusammenhängender

Weise die keimende Liebe der Eugénie zur Darstellung. Im Kontrast dazu

gestaltet sich das Gespräch der Ehepartner als zusammenhanglose Farce:

jeder lebt in seiner eigenen Bewusstseinswelt, das Aneinandervorbeireden

versinnbildlicht die Isolierung des Einzelnen.

Der Kontrast zwischen Kontingenz der Existenz einerseits und der

Notwendigkeit in der Kunst andererseits erfährt eine neue Intensivierung

bei der Besichtigung der Bildergalerie. Angesichts der portraitierten
Elite von Bouville bemerkt Roquentin: "Leur faces, meme les plus veules,
étaient nettes comme des faïences.... je pensais bien qu'ils n'avaient
pas eu cette necessité de leur vivant" (129). Die 'flachen' Gesichter
der Bürger hatten plötzlich 'notwendige' Züge angenommen, waren Kunstwerk geworden. Bauer macht an diesem Punkt darauf aufmerksam, dass
Roquentin in der Kunst unterschiedliche Rollen feststellt: Einerseits
die freie Einbildungskraft des Romanciers, dessen künstlerisches Schaffen
aus innerer Notwendigkeit entspringt, andererseits die 'versklavte'
Kunst der Portraitmalerei, die nur dazu dient, eine existierende gesellschaftliche Hierarchie zu unterstützen: "the security derived from
having a precise role in the order of things is found in paintings and
statues..."[14] Es ist diese Rolle der 'moralischen Erbauung', die Roquentin
in der Architektur der Kirche Sainte-Cécile-des-Mers , der Statue des
Impétraz und der Portraits im Museum zu Bouville erkennt und verwirft
als nicht befreiende, authentisch schaffende Kunst. So wie die Hölle
den Ungläubigen abschrecken und zum Glauben zurückbringen oder im Glauben
erhalten soll, dient Sartres fiktionales Bild "la Mort du Célibataire"
(Tod des Junggesellen) dazu, diejenigen abzuschrecken, die wie Roquentin
ausserhalb der Gesellschaft existieren, indem sie deren Werte nicht akzeptieren. Als detachierter Beobachter ist es Roquentin möglich, diese
Einsicht zu gewinnen. Er verlässt das Museum mit seinen oft zitierten
Worten "adieu salauds".

---

14) Bauer, a.a.0., S. 40.

Es wurde erwähnt, dass der Aufbau des Tagebuches aus kreisenden Bewegungen strukturiert sei; andererseits kann auch eine Dialektik zwischen Existenz und Kunst, Kontingenz und Notwendigkeit festgestellt werden. Welche Funktion erhält Annys Brief in diesem Aufbau? Am 13. Februar empfängt Roquentin Annys Brief, in welchem sie ihn auffordert, sie in zehn Tagen in Paris zu treffen. Der 13. Februar fällt ungefähr in die Mitte des Tagebuches (welches Roquentin ja nur vier Wochen lang führt), doch nur ein Drittel der Seitenzahl des Ganzen ist bislang in Anspruch genommen, welches die Bedeutung der letzten zwei Wochen herausstellt. Sie bringen die Reflexionen welche zur Erkenntnis und somit Lösung seiner Angst- und Ekelkrise hinführen. Die versuchte Deckung von Erzählzeit und erzählter Zeit entspricht Sartres Überzeugung, nicht nur "de présenter les phénomènes romanesques dans l'ordre où ils sont vécus par les personnages, il faut encore en respecter la durée."[15] Der Autor dürfe die Zeit im Roman nicht nach Belieben kürzen oder verlängern, weil er dadurch die Freiheit der Charaktere begrenze und gleichzeitig den Leser ausserhalb des Geschehens werfe: "Si je ramasse six mois en une page, le lecteur saute hors du livre."[16]

Auf den Empfang von Annys Brief bemerkt Roquentin: "Peut-être la ramènerai-je à Bouville. Il suffirait qu'elle y vive quelques heures: qu'elle couche une nuit à l'hotel Printania. Après ce ne serait plus pareil; je ne pourrais plus avoir peur" (118). Denn die Angstkrise hatte sich gerade kurz zuvor zugespitzt. Als er im Restaurant Camille dem alten

---

15) Prince, a.a.O., S. 64.
16) Sartre, Situations II, S. 327.

1. Achilles begegnet, überfällt Roquentin die gleiche Angst, die Malte
vor den Fortgeworfenen [17] empfand: "Il y a donc à present des gens qui
ne reconnaissent, qui pensent, après m'avoir dévisagé: 'Celui-là est
des nôtres'" (97). Am nächsten Tag besteht die Aufzeichnung aus einem
einzigen Satz: "Il ne faut pas avoir peur" (103). Kulminierung seiner
Ekelkrise hat Roquentin zwei Tage vor seinem Treffen mit Anny: "Je
comprenais la Nausée, je la possédais." Er begreift, dass er den Schlüssel
der Existenz, ja "la clef de mes nausées" gefunden hat: die Erkenntnis
'de trop" zu sein, "j'étais de trop pour l'éternité" (182). Die Kontingenz
ist das Dasein. Es ist das Gegenteil der Notwendigkeit: "Dans un autre
monde, les cercles, les airs de musique gardent leurs lignes pures et
rigides. Mais l'existence est un fléchissement" (181). Er fasst seine
lang gesuchte Erkenntnis zusammen: "j'ai fait l'expérience de l'absolu:
l'absolu ou l'absurde" (182).

Gleich danach folgt die Reise nach Paris. Die Distanz des Raumes
erlaubt ihm aus dem Kreis seiner Reflexionen herauszutreten und seinen
gewonnenen Einsichten noch einmal objektiv gegenüberzustehen. Diese
Funktion erfüllt der Dialog mit Anny. [18] Anny kann als Roquentins alter-ego
betrachtet werden. Genau wie Roquentin in seinen 'Abenteuern' versucht
hatte, sein Leben einer gewollten, notwendigen Ordnung zu unterwerfen,

---

17) "Die (Fortgeworfenen) sehen mich an und wissen es. Die wissen, dass
ich eigentlich zu ihnen gehöre" (742). Und: "Es war sozusagen die
erste öffentliche Bestätigung, dass ich zu den Fortgeworfenen gehörte" (759).

18) Vgl. K. Hamburger, Logik der Dichtung, a.a.O., S. 142, wo der Dialog als
eines der besten Mittel zur Episierung, d.h. Objektivierung verstanden wird.

es wie ein Kunstwerk zu gestalten -- "Enfin, je m'étais imaginé qu'à de
certains moments ma vie pouvait prendre une qualité rare et précieuse.
Il n'était pas besoin de circonstances extraordinaires: je demandais
tout juste un peu de rigueur...." (58) -- so hatte Anny früher versucht
aus "situations privilegiées" ihres Lebens "des moments parfaits" zu
gestalten. Ihre Vorstellung der "situations privilegiées" ist fast in
dem gleichen Wortlaut gefasst wie Roquentins: "C'étaient des situations
qui avaient une qualité tout à fait rare et précieuse, du style, si tu
veux... il fallait.... sentir qu'on y mettait de l'ordre" (207). Roquentin
kommentiert: "En somme, c'est une sorte d'oeuvre d'art" (209).

Doch so wie Roquentin begreift, dass Abenteuer nur in den Büchern
stehen -- "c'est la fin qui transforme tout... les évènements se produisent
dans un sens et nous les racontons en un sens inverse" (62) -- wo alles
von vornherein vom Schluss her auf ein Ziel hinsteuert, die Existenz
aber durch Kontingenz, Zufall und Sinnlosigkeit charakterisiert ist,
so bekennt auch Anny:

"Je sens qu'il n'y a pas de moments parfaits. Je le sens jusque
dans mes jambes quand je marche. Je le sens tout le temps, même
quand je dors. Je ne peux l'oublier.... je ne peux pas dire: à
partir de tel jour.... ma vie s'est transformée. Mais à présent
je suis toujours un peu comme si cela m'avait été brusquement
revelé la veille" (202).

Anny hat den gleichen 'Entschleierungs'-Prozess durchgemacht wie
Roquentin, so dass er sich nicht mehr in ihre 'archaische Welt der Magie'[19]

---

19) Claude-Edmonde Magny, a.a.O., S. 29.

flüchten kann. Aber statt sich wie Anny lediglich zu überleben -- "je me
urvis" (212) '' fässt Roquentin einen praktischen Entschluss. Er wird
ein schriftstellerisches Talent, bereichert und kristallisiert durch
die neu errungenen Einsichten in die Existenz und Kunst, verwirklichen:
~ wird ein Buch schreiben,

quelque chose qui n'existerait pas, qui serait au-dessus de l'existence.
ne histoire, par exemple, comme il ne peut en arriver, une aventure.
l faudrait qu'elle soit belle et dure comme de l'acier et qu'elle
asse honte aux gens de leur existence" (249).

er letzte Satz des Zitats zeichnet zwei Aspekte ab, die für Sartre
leichermassen wichtig sind, von denen jedoch die meisten Kritiker nur
en ersten erkennen:

    a) "qu'elle soit belle et dure comme de l'acier...."

    b) "et qu'elle fasse honte aux gens de leur existence...."

er erste Teil des Zitats erkennt das Kunstwerk als jenes harte, notwendige
ein, welches über dem formlosen und zufälligen Sein der Existenz steht,
ben jenes was Roquentin nicht leben, sondern nur schaffen kann. Die-
enigen Kritiker, welche die ästhetische Lösung als Flucht[20] bezeichnen,
bersehen die Komplexität des künstlerischen Vorgangs. Sie sehen nur die
sthetische Freiheit, welche der Künstler im Schaffensakt geniesst und
ie ihn momentan dem Gefühl des "de trop" enthebt. Der zweite Teil des
itats jedoch erläutert den anderen Aspekt, welcher die Macht des Wortes

---

0) Vgl. Iris Murdoch, a.a.O., S. 18 und P. Ruppert, a.a.O., S. 15:"The
    aesthetic solution signifies more than the inability of an individual
    o endure an ambiguous existence; it signifies an abdication of the world
    nd perhaps even a betrayal of other men.... It is this presence in the
    orld that Roquentin seeks to escape by his aesthetic solution."

darstellt. Aus dem Zusammenfluss aller kreativen Kräfte konstitutiert sich

das Kunstwerk zugleich als Vehikel der Erkenntnis, als 'miroir critique':

"Longtemps j'ai pris ma plume pour une épée: à présent je connais
notre impuissance. N'importe: je fais, je ferai des livres; il en
faut; cela sert tout de même. La culture ne sauve rien ni personne,
elle ne justifie pas. Mais c'est un produit de l'homme: il s'y
projette, s'y reconnait; seul, ce miroir critique lui offre son image."[21]

Dieses Zitat stammt aus Sartres Autobiographie Les Mots, 1964 ver-

öffentlicht, fast 30 Jahre nach der Nausée und wiederholt dem Sinn nach

die Schlussworte von Roquentins Tagebuch. Für den Leser wirkt das Buch

insofern als kritischer Spiegel, als dass er des Lesers Bewusstseins-

haltung aufrüttelt. In seinem Essay über John Dos Passos 1919 beschreibt

Sartre das Lesen als einen Sprung in den Spiegel, welcher durch den

Roman entgegengehalten wird. Gleichzeitig sei dieser Sprung in den Roman

auch ein Sprung hinweg von der täglichen Bewusstseinslage-in-der-Welt,

Husserls 'natürlichem Standpunkt', zugunsten eines intentionalen Stand-

punktes: "The modification of consciousness turns reading into a critical

and reflexive act which illuminates the reading consciousness to itself

by cutting if off from practical context."[22]

Beide Romane zeigen ein geschlossenes Ende. Die Krisen, welche den

beiden Tagebüchern zugrunde lagen, sind überstanden. Dem episch-beschreibenden

Tenor der Nausée gemäss, kommentiert Roquentin seine Situation: "Ça pourrait

même faire un apologue: il y avait un pauvre type qui s'était trompé de

---

21) Sartre, Les Mots, Paris, Gallimard 1964, S. 211.

22) Steven R Ungar, "Sartre as Critic" in: Diacritics, a Review of
    Contemporary Criticism, Fall 1971, Cornell University, Ithaca, N.Y., Nr. 1,
    S. 32-37, S. 36.

ɔnde... Et puis, après avoir bien fait l'imbécile, il a compris" (245).

1s Roquentin begreift, dass er nicht als Kunstwerk leben kann, entschliesst

ır sich eins zu machen.

Im Malte gestaltet die Parabel -- indem sie die Aufzeichnungen als

ınzes rekapituliert (vgl. Hoffmann und Ziolkowski, a.a.O.) -- auch ein

ıschlossenes Ende. Die Krise der existenziellen und dichterischen

Jentitätslosigkeit ist mit den Aufzeichnungen, dem Finden seiner

igenen künstlerischen Richtung, überstanden: "Aus den Wurzeln seines

ıeins entwickelte sich die feste, überwinternde Pflanze einer fruchtbaren

ıreudigkeit..... Dies alles noch einmal und nun wirklich auf sich zu nehmen,

ar der Grund, weshalb der Entfremdete heimkehrte" (944f). Das Komplexe

ın diesem Werk ist, dass Malte einerseits seine Identität, bzw. künst-

ıerische Richtung findet, andererseits als Mensch und Künstler hinter

ıer Leistung seines Kunstwerks zurücktritt, und hierdurch einen Prozess

ıer Ent-Ichung vollzieht. Dieses konnte nur durch die lyrische Struktur

ıeschehen, wo die Dichotomie der Subjekt-Objekt Relation aufgehoben ist.

en Entschluss, welchen Roquentin beschreibend darstellt, lässt die

ubjekt-Objekt Relation bestehen. Maltes Entschluss jedoch wird nicht

ɔn ihm beschrieben, sondern im Bild des Verlorenen Sohnes gezeigt,

ubjekt-Objekt sind verschmolzen. Von einem 'kritischen Spiegel' im Sinne

ıer Nausée kann hier nicht gesprochen werden, es bleibt eine existenziell-

sthetische Lösung.

ZUSAMMENFASSUNG

Da die Kritik lange Zeit die beiden behandelten Romane, <u>Malte Laurids</u>
<u>Brigge</u> und <u>La Nausée</u>, im Rahmen des Existenzialismus betrachtet hat und
dies die Grundstimmung beider Romane ist, bin ich anfänglich dieser Bewegung in grossen Zügen nachgegangen. Den allgemeinen Tenor dazu liefert
der spanische Existenzialist Unamuno in seiner Schrift <u>Del sentimiento</u>
<u>trágico de la vida</u>: dass das 'tragische Gefühl der Existenz' nicht durch
die Frage des Woher, sondern durch die Frage nach dem <u>Wohin</u> der Existenz
hervorgerufen wird. Obwohl es keine allgemeine Definition des Existen -
zialismus gibt -- da es sich nicht als philosophisches System, sondern
als individuelle Stellungsnahme zur Existenz betrachtet -- lassen sich
ganz bestimmte Grundthemen herauskristallisieren, die aller existenzialistischen Dichtung gemeinsam ist: allen voraus, der von Kierkegaard
herausgestellte Begriff der Existenz. Dieser wird von Heidegger und Sartre
so definiert, dass die Existenz das Wesen des Menschen bestimmt: "Das

Das-sein (essentia) .... muss .... aus seinem Sein (existentia) begriffen
werden" oder "l'existence précède l'essence." Daraus geht hervor, dass
das Wesen des Menschen nicht mehr als ein in-sich-Ruhendes, Inherentes
aufgefasst wird, sondern als ein zu Machendes, und zwar jeweils individuell.
Aus dieser Situation heraus erhalten die Begriffe der 'Freiheit' und
Angst' eine neue Bedeutung. Kierkegaard hatte von der 'Angst' als dem
Schwindel der Freiheit' gesprochen. Jene Angst, die den Menschen überfällt, wenn er selbst entscheiden muss, welche Werte er für sich setzen
will, weil es kein allgemeines, übergeordnetes System gibt, wie in
früheren Jahrhunderten. In der Sartreschen Sicht erhält dieser Aspekt
der Freiheit zur Entscheidung die höchste Bedeutung. Die gesellschaftliche
Schicht kann nicht lange darüber hinwegtäuschen, dass jedes Da-sein individuell verläuft. Der Angst wird eine positive aufrüttelnde Kraft
beigemessen, insofern als sie die gesellschaftliche Patina durchbricht
und individuelles Da-sein aufdeckt: sie setzt das Individuum in direkten
Kontakt mit den Grundphänomenen des Da-seins. Im Malte als auch in La Nausée
wird dieser Prozess der Entschleierung von Da-sein durch 'Angst' im
Kontext gezeigt. In diesem Zusammenhang empfängt das Phänomen des Todes
eine neue Deutung, hauptsächlich bei Rilke. Als Begrenzung des Da-seins
wird der Tod besonders bei Kierkegaard und Rilke betont. Statt als
abstrakte Tatsache am Ende eines Lebens-- und mit diesem als solchem
nichts zu tun hat -- wird der Tod nun, wie 'die Frucht den Kern', ins
Da-sein integriert, als eine jeden Moment eintretende Möglichkeit. Seine
Funktion begrenzt sich nicht nur darauf, das Da-sein in seinen höchsten
Möglichkeiten zu potenzieren, sondern bewirkt ferner, die Einmaligkeit

des Da-seins zu unterstreichen, wie besonders Jacobsens <u>Niels Lyhne</u> und Rilkes 9. Elegie zeigen.

Der Prozess der Da-seins-Entschleierung erfüllt die beiden Helden, Malte und Roquentin, mit Ekel oder 'nausée'. Dieser Terminus wird in der Kritik oft mit 'ennui' gleichgesetzt, dem Weltschmerz der Romanhelden des 19. Jahrhunderts. Anstatt lediglich als "Variation des alten Motivs des ennuis" aufgefasst zu werden, konnte anhand von Werner Vordtriedes Analyse des Dichters im 19. Jahrhundert (<u>Novalis und die Französischen Symbolisten</u>) bewiesen werden, dass der 'ennui' spezifisch die Situation des Dichters im Verhältnis zur Gesellschaft beschreibt, wo im 19. Jahrhundert die Nützlichkeit des Dichters in Frage gestellt wurde, wie u.a. in Vignys <u>Stello</u>, Grillparzers <u>Sappho</u>, und vorher schon in Goethes <u>Tasso</u>. Selbst bei den poètes maudits, Baudelaire und dem frühen Mallarmé, die die Gesellschaft verwerfen, ist diese gesellschaftliche Komponente stark im 'ennui' vorhanden. Demgegenüber erweist sich der Begriff 'nausée' weitgreifender. Er bezieht sich auf die Wesenserfassung des Menschen, auf seine ontologische Situation. Wie die Analyse von <u>La Nausée</u> zeigte, entschleierte 'nausée' die Bedingtheit und das Zusammenhanglose der Existenz. Dass 'nausée' mit 'ennui' verwechselt wird, liegt zum Teil an der Tatsache, dass sowohl <u>Malte</u> als auch <u>La Nausée</u> Künstlerromane sind und so der Vergleich mit den Künstlerromanen des 19. Jahrhunderts auf der Hand lag.

Den künstlerischen Aspekt in beiden Romanen als Hauptrichtung nehmend, im Anschluss an Hoffmann, Ryan, Sokel und Ziolkowski einerseits, an Champigny, Bauer, Kern und Kruse andererseits konnte ich aufzeigen, dass die künstlerische Entwicklung beider Helden von einer neuen Bewusstseinsentfaltung abhängig war. Ausgelöst von einem 'neuen Sehen', welches beiden Helden "das Sein, welches unter allem Seienden gilt" -- Da-sein-- zum Bewusstsein bringt, lösen sich abstrakt aufgenommene Konzepte und Ideen auf. Ihr dadurch verändertes Bewusstsein leitet sie von Perzeption zur Apperzeption und schliesslich zum Schaffensakt selbst. Unter Anwendung des Schillerschen Schemas 'Stofftrieb-Formtrieb-Spiel' zeige ich beide Romane als 'Entwicklungsromane der ästhetischen Dimension': "the point at which artistic creation begins is also the starting point of self-recognition in time."[1] In Einzelbeispielen wurde gezeigt, wie die Angst, hervorgerufen durch das neue Sehen, mit Veränderung verbunden war: Vom sinnlichen Erfahren der Welt und der alltäglichen Bewusstseinslage lenkte das neue Sehen die Aufmerksamkeit des Bewusstseins auf die Phänomene[2] selbst. In einer Reduktion der alltäglichen Bewusstseinshaltung versucht das intentionale Bewusstsein die Phänomene des Da-seins zu erkennen. Jedes Erlebnis wird so zur Erkenntnis. Es ist in diesem Sinne, dass der _Malte_ sich dem Leser darbietet: jede Episode, jede Aufzeichnung bedeutet Malte eine Einsicht. Wie Käte Hamburger für den _Malte_ fest - stellte -- und dies gilt auch für _Nausée_ -- ist in beiden Romanen das Schauen (j'ai vu) ein Resultat dieser intentionalen Bewusstseinshaltung

---

1) Sarah Lawall, a.a.O., S. 112.

2) Edmund Husserl, _Die Idee der Phänomenologie_, hrsg. Walter Biemel, Gesammelte Werke, Bd. II, Haag, Martinus Nijhoff 1950, S. 44: Husserl unterscheidet zwischen 'reinem' und psychologischem Phänomen: "Ich kann aber auch, indem ich wahrnehme, rein schauend auf die Wahrnehmung hinblicken, auf sie selbst, wie sie da ist, und die Beziehung auf das Ich unterlassen...: dann ist sie... gegeben als reines Phänomen im Sinne der Phänomenologie".

und keinesfalls mit "mystischer Illumination" zu verwechseln. Im intentionalen Bewusstseinsakt wird die Erkenntnis durch kritisches, kognitives
Vermögen erlangt; in der "mystischen Illumination" durch ein Gefühl der
lleinigkeit, unter Ausschaltung des kritischen Bewusstseins.

Der Entwicklungsschritt von Perzeption zu Apperzeption, von Stofftrieb zu Formtrieb, führt beide Helden dazu, momentan die sie umgebende
Wirklichkeit in Kunst zu verwandeln, wie z.B. die Mondszene am Pont-neuf
im _Malte_ und die 'petite femme en bleu' in _La Nausée_ zeigten. Vom
Zwang der Dingwelt, die beide Helden zu Anfang erleiden, gelangen sie
zeitweilig durch das Spiel ihrer Einbildungskraft zur Beherrschung
derselben. Roquentin findet schliesslich den Schlüssel seiner Ekelkrise
dadurch, dass er in immer neuen dialektischen Ansätzen die Bereiche der
Existenz und Kunst gegenüberstellt und erkennt, dass der Existenz all
jene Eigenschaften abgehen, die er an der Kunst bewundert und für seine
eigene Existenz begehrt: Notwendigkeit und Ordnung, welches Befreiung
von der Bedingtheit und Zusammenhanglosigkeit der Existenz bedeuten würde.
In der Erkenntnis, sein Leben nicht als Kunstwerk gestalten zu können,
entschliesst er sich ein Kunstwerk zu machen.

Maltes Aufzeichnungen gestalten seine Suche nach einer neuen
Ästhetik, die in direktem Zusammenhang mit seiner Befreiung von der
existenziellen Angst steht. In der Kontrastierung der Pariser Gegenwart
und der Vergangenheit seiner Kindheit, gestaltet sich ihm letztere als
intentionales Erkenntnisobjekt: in der Gegenüberstellung seiner Erbmasse,
'dem Briggeschen und dem Braheschen Prinzip', erkennt Malte das dionysische

apollinische Element der Kunst. Das Vermögen der Einbildungskraft
eht er in der Eigenart seiner Familie, 'Unsichtbares zu sehen'; und
e verschiedenen Elendsepisoden vermitteln ihm die Einsicht, dass
st nicht in der Begrenzung, sondern in der absoluten Einschliessung
er Realitäten liegt. Indem Malte durch sein neues Sehen eine ver-
erte Weltauffassung erlangt, in welcher auch die negativen Aspekte
r Realität integriert werden, folgt seine Ästhetik dem Zeichen der
tgeworfenen und dem Modell der grossen Liebenden, die 'keine Unter-
iede machen'. An Baudelaires "Blumen des Bösen" anschliessend, setzt
te als Grundlage seiner eigenen Ästhetik die 'Blumen des Widerlichen'.

Die existenziellen und ästhetischen Erkenntnisse, welche sich im
wusstsein der Helden abspielen, können nur von dem Erkennenden selbst
schrieben werden. Von daher bietet sich die Erzählung in der ersten
rson an, und innerhalb dieser vorzüglich die Form des Tagebuches.
sei -- innerhalb des von Käte Hamburger aufgestellten Systems der
gik der Dichtung eine 'Sonderform' -- die am wenigsten episch anmutende
rm, insofern sie eine 'fingierte Aussage' im Bereich des Epischen sei.
e Aussage aber ist das typische Element des Lyrischen. Indem aber nur
e lyrische Aussage im Gedicht als echte Wirklichkeitsaussage zu
arakterisieren sei, wäre diejenige des Tagebuch-Ichs 'fingierte' oder
nechte' Aussage im Bereich der Fiktion oder des Epischen. Das Tagebuch,
s hybride Form des Romans, verbindet so von Anfang an zwei sich
tgegengesetzte Tendenzen: das Lyrische und das Epische. Erzählen von
lt und Dialoge gestalten den Roman episch, wie <u>La Nausée</u>; Gestaltung

von Welt in Form von Bildern, die dem Ich eine Einsicht vermitteln, wie im _Malte_, ist lyrisch.

Beide Romane gelten als Tagebücher, doch nur _La Nausée_ weist alle Merkmale des traditionellen Tagebuches auf, unter denen die chrono - logische Abfolge der Einzeichnungen eines der Hauptmerkmale ist. Gerade diese aber fehlt im _Malte_. Ausser der ersten Eintragung fehlt jegliches Datum. Es stellt sich heraus, dass die Ausklammerung der Zeit als Absicht des Tagebuch-Ichs betrachtet werden muss. Es erreicht dadurch das Erzählmodell seines Grossvaters, "der das Erzählen noch gekonnt haben soll". Dieser machte keinen Unterschied zwischen Gegenwart, Vergangenheit und Zukunft. Alle Zeiten waren ihm gegenwärtig. Diese Gegenwärtigkeit verschiedener zeitlicher Schichten hebt die Zeit als leitendes Struktur- element des traditionellen Romans auf. Statt seiner tritt der Raum als strukturelles Element an erste Stelle. Laut Joseph Frank ist dieses das entscheidende Moment, welches zur Aufschlüsselung manchen modernen Romans führe, der als dunkel und unverständlich gilt. Sharon Spencer nennt diese Romane "architektonisch", im Kontrast zu den traditionellen "linearen" Romanen. Zeitliches Kontinuum und logische Kausalität werden ersetzt durch das Nebeneinander verschiedener Geschehnisse, Szenen, Episoden. Die Progression wird durch Variation und Erweiterung der Themen und Wechsel im Rhythmus bis zur grössten Intensität und Verdichtung der Erkenntnisse des Ichs erzielt. Indem Malte sein bisheriges und jetziges Leben simultan als 'Ganzes' überblicken kann, bildet es ein 'Mosaik' seines Erkenntnisraumes. Nicht nur befreit ihn der zeitlose Raum seiner fzeichnungen vom existenziellen Fluss der Zeit, vor Angst und Tod;

eichzeitig hat er damit das Erzählmodell seines Grossvaters erreicht

d erfüllt: Im Finden seiner eigenen künstlerischen Identität schafft

eine neue Totalität.

BIBLIOGRAPHIE

RILKE, Rainer Maria   Malte Laurids Brigge, Sämtliche Werke, Bd. VI, Insel Verlag, Frankfurt 1966.

Briefe aus den Jahren 1902-1906, Insel Verlag, Leipzig 1933.

Briefe aus Muzot, Insel Verlag, Leipzig 1933.

ALLEMANN, Beda   Zeit und Figur beim späten Rilke, Neske Verlag, Pfüllingen 1

ANGELLOZ, J.F.   Rainer Maria Rilke. Leben und Werk. Im Verlag der Arche, Zürich 1955.

ARNOLD, Werner   "Ennui-spleen-nausée-tristesse: Vier Formen literarischen Ungenügens an der Welt" in: Die Neueren Sprachen 4, 1966, 159-173.

BAB, Julius   "Das Evangelium Brigge" in: Die Schaubühne, Berlin 1910, Heft 22/23.

BARTHES, Roland   Essais Critiques, Paris, Editions du Seuil 1964.

BLUME, Bernard   "The Metamorphosis of Captivity" in: The German Quarterly, May 1970, Nr. 3, 357-375.

BOLLNOW, Otto   Rilke, Kohlhammer Verlag, Stuttgart 1951.

Existenzphilosophie, Kohlhammer Verlag, Stuttgart 1949.

BRAND, Gerd   "Intentionality, Reduction, and Intentional Analysis in Husserl's Later Manuscripts" in: Husserl's Phenomenology, ed. J. Kockelmanns, Doubleday & Anchor, New York 1967.

BRINKMANN, Richard   Nachtwachen des Bonaventura: Kehrseite der Frühromantik? Neske Verlag, Pfüllingen 1966.

BROMBERG, Victor   The Intellectual Hero, Lippincott, Philadelphia 1961.

BUDDEBERG, Else   Kunst und Existenz im Spätwerk Rilkes, Stahlberg Verlag, Karlsruhe 1948.

BUTOR, Michel   "L'espace du roman" in: Essais sur le roman, Paris, Gallimard 1960.

AMUS, Albert L'Etranger, Paris, Gallimard 1942.

       La Chute, Paris, Gallimard 1958.

I SAN LAZZARO, C. "Die Aufzeichnungen des MLB von Rilke in Vergleich mit
       Jacobsens Niels Lyhne und Gides Nourritures Terrestres" in:
       Germanisch-Romanische Monatsschrift, vol. 29, Nr. 4/6, June 1941.

OSTOEVSKY, Fedor Notes from Underground, transl. by Constance Garnett,
       Dell Publishing Co., Inc., New York 1960 (1864).

MRICH, Wilhelm Protest und Verheissung, Athenäum Verlag, Frankfurt 1960.

ERREIRO, Jaime Rilke y San Agustin, Ediciones Tauro, Madrid 1966.

ORSTER, E.M. Aspects of the Novel, Harcourt Brace & Co., New York 1927.

ORSTREUTER, Kurt Die deutsche Icherzählung. Eine Studie zu ihrer Geschichte
       und Technik, Germanische Studien, Heft 33, Berlin 1924.

RANK, Joseph "Spatial Form in the Modern Novel" in: Critiques and
       Essays in Modern Fiction 1920-1951, ed. J.W. Aldridge,
       New York 1952.

REEDMAN, Ralph The Lyrical Novel, Princeton University Press, New Jersey 1963.

ÜLLEBORN, Ulrich "Form und Sinn der Aufzeichnungen des Malte Laurids Brigge"
       in: Unterscheidung und Bewahrung, Festschrift Hermann
       Kunisch, Walter de Gruyter, Berlin 1961, 147-169.

AMBURGER, Käte Die Logik der Dichtung, 2. stark veränderte Auflage,
       Ernst Klett Verlag, Stuttgart 1968.

       "Die phänomenologische Struktur der Dichtung Rilkes" in:
       Rilke in neuer Sicht, hrsg. Käte Hamburger, Kohlhammer,
       Stuttgart 1971.

AUSER, Arnold "Space and Time in the Film" in: The Social History of Art,
       reprinted in Film: A Montage of Theories, ed. Richard Dyer
       MacCann, New York 1966.

HEIDEGGER, Martin Sein und Zeit, 8. unv. Auflage, Niemeyer, Tübingen 1957 (1927).

       Kant und das Problem der Metaphysik, Bonn 1929.

HOFFMANN, E.F.   "Zum dichterischen Verfahren in Rilkes Aufzeichnungen
                        des MLB" in: Deutsche Vierteljahrschrift 42, 1968, 202-230.

HOLTHUSEN, Egon   Der Unbehauste Mensch, Piper, München 1952.

HUSSERL, Edmund   Die Idee der Phänomenologie, Gesammelte Werke, Bd. II,
                        hrsg. Walter Biemel, Haag, Martinus Nijhoff 1950.

JACOBSEN, Jens   Niels Lyhne, aus dem Dänischen von Mathilde Mann,
                        Leipzig, Hesse & Becker Verlag 1926 (1880).

KAUFMANN, Walter   Existentialism from Dostoevsky to Sartre, Meridian Books,
                        New York 1956.

KIERKEGAARD, Soeren   Der Begriff der Angst, Eugen Diederichs Verlag, Düsseldorf
                        1958.

                        Tagebücher, Gesammelte Werke, Diederich, Düsseldorf 1955-56.

                        Abschliessende Unwissenschaftliche Nachschrift, G W,
                        Diederichs, Düsseldorf 1955-56.

                        Der Begriff der Ironie, G W, Diederichs, Düsseldorf 1955-56.

KLEIN, J.   "Die Struktur an Rilkes Malte" in: Wirkendes Wort 2, 1952.

KOWATZKI, Irmgard   Der Begriff des Spiels als ästhetisches Phänomen von Schill
                        bis Sartre, Stanford Dissertation 1969.

KUNISCH, Hermann   Rainer Maria Rilke. Dasein und Dichtung, Duncher & Humblot,
                        Berlin 1944.

LAMMERT, Eberhard   Bauformen des Erzählens, Metzlersche Verlagsbuchhandlung,
                        Stuttgart 1955.

LAWALL, Sarah   Critics of Consciousness, The Existential Structure of
                        Literature, Harward University Press, Cambridge, Mass. 1968

LUKACS, Georg   Die Theorie des Romans, Luchterhand, Neuwied Berlin 1963.

MARCEL, Gabriel   Homo Viator, London, Victor Gollacs Ltd, 1951.

MARTINI, Fritz   Das Wagnis der Sprache, Ernst Klett Verlag, Stuttgart 1964.

MASON, E.C.   Rainer Maria Rilke. Sein Leben und sein Werk, Vandenhoeck &
                        Ruprecht in Göttingen 1964.

LLER, Norbert   Romananfänge. Literarisches Colloquium Berlin 1965.

LLER-VOLLMER, K.   Poesie und Einbildungskraft. Zur Dichtungstheorie Wilhelm
von Humboldts, Metzlersche Verlagsbuchhandlung, Stuttgart 1967.

VELLE, Armand   "Sens et Structure du MLB" in: Revue d'esthétique 12, 1959,
5-32.

MBERG, Bertil   Studies in the narrative Technique of the First-Person Novel,
Almquist & Wiksell, Stockholm 1962.

AN, Judith   Umschlag und Verwandlung, Winkler Verlag München 1972.

     "Hypothetisches Erzählen: Funktion von Phantasie und
Einbildungskraft im Malte" in: Schillerjahrbuch 15, 1971.

BATO, Ernesto   El Túnel, los libros del mirasol, Buenos Aires 1961.

MMONS, J.   The Nachtwachen von Bonaventura. A Structural Interpretation,
Mouton, The Hague 1965.

CHILLER, Friedrich   "Über die ästhetische Erziehung des Menschen" in:
Theoretische Schriften, Dritter Teil, dtv Gesamtausgabe 19.

CHUELKE, G.   Kierkegaard and Rilke. A Study in Relationships, Stanford 1950.

EIFERT, Walter   Das Epische Werk Rainer Maria Rilkes, Bouvier Verlag, Bonn 1969.

IEVERS, Marianne   Die biblischen Motive in der Dichtung Rilkes, Germanische
Studien, Heft 202, Berlin 1938.

IMENAUER, Erich   Rainer Maria Rilke. Legende und Mythos, Verlag P. Haupt,
Bern 1953.

OKEL, Walter   "Zwischen Existenz und Weltinnenraum: Zum Prozess der
Ent-Ichung im MLB" in: Probleme ds Erzählens in der Welt-
literatur, Festschrift Käte Hamburger, Ernst Klett Verlag,
Stuttgart 1971.

PENCER, Sharon   Space, Time and Structure in the Modern Novel, New York
University Press, New York 1971.

TANZEL, Franz   Typische Formen des Romans, Vandenhoeck & Ruprecht in
Göttingen 1964.

TRAUSS, Anselm   Mirrors and Masks, The Search for Identity, Glencoe 1959.

UNAMUNO, Miguel de   Niebla, Espasa-Calpe, Argentina 1950 (1914).

Del Sentimiento Trágico de la Vida, Obras Completas, Madrid 1

VIGNY, Alfred de   Stello, Paris 1882.

VORDTRIEDE, Werner   Novalis und die französischen Symbolisten, Kohlhammer Verlag, Stuttgart 1963.

ZIOLKOWSKI, Th.   Dimensions of the Modern Novel, Princeton University Press, Princeton New Jersey 1969.

SARTRE, Jean-Paul   La Nausée, Gallimard, Paris 1938.

L'Etre et le Néant, Gallimard, Paris 1943.

"Qu'est-ce que la littérature?" in: Situations I, Gallimard, Paris 1947.

Situations I, II, Gallimard, Paris 1947.

Les Mots, Gallimard, Paris 1964.

BARNES, Hazel   Humanistic Existentialism, University of Nebraska Press, Lincoln 1959.

BARRETT, William   What is Existentialism, Grove Press Inc., New York 1964.

BAUER, Gerald   Sartre and the Artist, Chicago, The University of Chicago Press 1969.

CHAMPIGNY, Robert   Stages on Sartres Way, Indiana University Press, Bloomington Indiana 1959.

CHURCH, Margret   Time and Reality, The University of North Carolina Press, Chapel Hill 1949.

)HN, Robert   "Sartre's First Novel", Yale French Studies 1, 1948.

EANSON, Francis   Le Probleme Moral et la Pensée de Sartre, Editions du Myrte, Paris 1947.

AELIN, Ed.   An Existentialist Aesthetic, University of Wisconsin Press, Madison 1962.

ERN, Edith   Existential Thought and Fictional Technique, New Haven, Yale University Press 1970.

     Sartre: A Collection of Critical Essays, ed. Edith Kern, Prentice-Hall Inc., Englewood Cliffs, N.J. 1962.

RUSE, Margot   "Philosophie vs. Dichtung in Sartres La Nausée", Yale French Studies 30, 1963.

AGNY, Claude-E.   "La Duplicité de l'Etre" in: Les Sandales d'Empédocle, Neuchâtel, La Baconnière 1945.

URDOCH, Iris   Sartre, Romantic Rationalist, New Haven, Yale University Press 1953.

RTEGA Y GASSET, J.   "La Doctrina del Punto de Vista" in: El Tema de Nuestro Tiempo en Obras Completas III, Madrid 1947 ("The Doctrine of the Point of View" in: The Modern Theme, New York, Harper & Row 1961.

EYRE, Henri   French Novelists of Today, New York, Oxford University Press 1967.

OLLMANN, Leo   Der französische Roman im 20. Jahrhundert, Kohlhammer Verlag, Stuttgart 1970.

OUILLON, Jean   Temps et Roman, Paris 1946.

RINCE, G.   Metaphysique et Technique dans l'oeuvre romanesque de Sartre, Librairie Droz, Genève 1968.

SERRANO-PLAJA, A.   "Náusea y Niebla" in: Revista de Occidente, vol. 26, 1969.

UNGAR, Steve   "Sartre as Critic" in: Diacritics, Fall 1971.

WATT, Ian   Rise of the Novel, London 1957.

ZIMMERMANN, E.   Metaphysics and Technique in the Expository Prose of JP Sartre. University of Wisconsin Press, Madison 1965.